Tony Dear

Birdie!

Die ganze Welt des Golfs

COPRESS
SPORT

Die englischsprachige Ausgabe dieses Buches erschien
2002 unter dem Titel „Every Golf Question You Ever
Wanted Answered " bei Collins & Brown, einem Imprint
der Anova Books Company Limited, 10 Southcombe St,
London, W14 0RA

Aus dem Englischen von der MCS Schabert GmbH,
München, unter Mitarbeit von Karola Koller (Über-
setzung).

Bibliografische Information der Deutschen Bibliothek
Die Deutsche Bibliothek verzeichnet diese Publikation
in der Deutschen Nationalbibliografie; detaillierte
bibliografische Daten sind im Internet über
<http://dnb.ddb.de> abrufbar.

Alle Rechte der deutschen Ausgabe
© 2008 Copress Verlag in der Stiebner Verlag GmbH,
München

Printed in Germany

www.copress.de

ISBN 978-3-7679-1027-0

*Für Mum, Dad, Simon und
Michelle. Ich liebe euch mehr
als Golf.*

*An den Verlag Collins & Brown vielen
Dank für den Auftrag, dieses Buch zu
schreiben, und für die großartige Unterstützung. Auch an Roger Hammond
Dank für die exzellente Gestaltung der
Seiten; ebenso an meinen Lektor Vince
Crump, der viel Überflüssiges entfernte
(wenn ich über das Thema Golf schreibe,
kann ich mich manchmal nicht bremsen),
ohne die wirklich wichtigen Fakten zu
streichen. Zum Schluss noch vielen Dank
an Rand Jerris von der USGA und Bob
Denney von der PGA of America, die
mich bei der Recherche enorm unter-
stützten.*

INHALT

Geschichte

I **Stimmt es, dass die Holländer das Golf-spiel erfunden haben?** Sie behaupten es. Tat-sächlich kannten sie schon im 13. Jh. ein Spiel namens *colf,* das aber mit dem heutigen Golfspiel nicht viel gemeinsam hat.

Die Spieler schlugen den Ball mit einem Stock über das Gelände, sogar über gefrorene Seen und Flüsse, doch das Ziel war kein Loch, sondern ein vorher festgelegtes Objekt, z.B. eine Stange, ein Brücken-pfeiler oder eine Tür. Der Historiker Steven J.H. van Hengel fand ein Dokument, das beweist, dass es in Loenen aan de Vecht schon im Jahr 1297 einen 4526 m langen Parcours mit vier Bahnen gab, bei dem auf vier Türen gespielt wurde: eine Küchentür, die Vordertür einer Wind-mühle, eine Tür in einem Schloss und in einem Wohnhaus. *Colf* wurde in den Dörfern gespielt, doch als sich die Bewohner immer häufiger darüber beklagten, dass sie von Bällen getroffen wurden, verlagerte man das Spiel kurzerhand nach drinnen – und nannte es nun *kolf*.

Wahrscheinlich waren es holländische Seefahrer, die in der Nähe von St Andrews Handel betrieben und *colf* nach Schottland brachten. Möglicherweise haben die Holländer also Recht, denn die Spielweise und die Namen ähneln sich sehr – nur die Ziele sind unterschiedlich.

Man ist sich jedoch einig, dass die moderne Version – ein Spiel, bei dem man einen Ball über Grasflächen hinweg in ein Loch befördert – an der schottischen Ostküste entstanden ist. Alte Aufzeichnungen belegen, dass man dort schon Mitte des 15. Jh. Golf gespielt hat, möglicherweise auch schon davor.

Ähnliche Spiele

Palle maille wurde im Mittelalter von den Franzosen und Italienern in den Straßen der Städte und auf abgesteckten Plätzen gespielt. Man verwendete einen Schläger mit hammerartigem Kopf, um den hölzernen Ball durch eine hängende Schlinge zu schlagen oder ihn möglichst nahe an ein bestimmtes Ziel zu bringen. Der französische Hof unterhielt enge Beziehungen mit dem schottischen Königshaus, und so kam das Spiel Mitte des 16. Jh. nach Schottland. Eine Variante dieses Spiels nannte sich *jeu de mail*. Die Spieler beförderten den Holzball über eine vorher festgelegte Bahn von 800 m möglichst nahe an das festgelegte Ziel.

In England spielte man in jener Zeit *cambuca*, in Belgien *chole*, ein Spiel mit zwei Teams, bei dem das eine ein bestimmtes Ziel treffen musste, während das andere dies zu verhindern versuchte. Wahrscheinlich entwickelte sich dieses Spiel aus dem römischen *paganica*, das die Truppen bei der Eroberung Nordeuropas im 1. Jh. v. Chr. mitgebracht hatten.

Auch in China spielte man während der Song-Dynastie (960–1279) ein Spiel mit Ball und Schläger. 1991 fand man Porzellanobjekte aus der damaligen Zeit, die mit spielenden Figuren bemalt waren. Professor Ling von der Beijing University hielt das Spiel für Golf, doch der Historiker des Royal and Ancient Golf Club of St Andrews wies dies zurück. Er argumentierte, dass die Figuren auch später erst auf das Porzellan hätten gemalt werden können und dass man aus diesen Funden deshalb nicht ableiten könne, dass damals in China Golf gespielt wurde.

2 **Wurde Golf nicht vom schottischen König verboten?** Ja, das passierte sogar dreimal – 1457 unter Jakob II., 1471 unter Jakob III. und 1491 unter Jakob IV. Das Spiel wurde verboten, weil sich die Soldaten lieber mit Golf beschäftigten, als sich im Bogenschießen zu üben. Das Bogenschießen war damals von nationalem Interesse, denn Schottland wurde ständig von den benachbarten Engländern angegriffen.

Doch bei seinen Untertanen war Golf so beliebt, dass es für Jakob IV. sehr schwer wurde, das Spiel tatsächlich zu verbieten. Sogar er selbst war ein begeisterter Golfer, und er bestellte 1502 einen Satz Schläger bei einem Handwerker, der sonst Pfeile und Bogen für die königliche Infanterie herstellte. Man glaubt heute, dass die Begeisterung des Königs und seiner Untertanen für den Golfsport letztendlich dazu geführt hat, dass die Schotten 1513 in der Schlacht von Flodden Field, in der auch der König fiel, vernichtend geschlagen wurden.

3 Wie heißt der älteste Golfclub? Es gibt Belege,

allerdings recht vage, dass der Royal Blackheath in London
der erste offizielle Golfclub war. Nach der Vereinigung Schottlands und
Englands im Jahr 1603 zog König Jakob I. (vorher Jakob VI. von Schottland) nach London und spielte dort mit seinem Hofstaat Golf auf einem
riesigen Gelände im Osten der Stadt. Allerdings lässt sich nicht zweifelsfrei
feststellen, ob tatsächlich schon 1608 dort ein Club gegründet wurde. Das
erste nachweisbare Golfturnier fand in Blackheath erst 1766 statt.

Auch die Royal Burgess Golfing Society in Edinburgh nimmt für sich in
Anspruch, der älteste Club zu sein, denn man glaubt das Gründungsjahr
1735 nachweisen zu können. Höchstwahrscheinlich gebührt die Ehre aber
der Honourable Company of Edinburgh Golfers – 1744 unter dem Namen
„Gentlemen Golfers of Leith" gegründet –, die ganz in der Nähe des
Hafens fünf Golfbahnen bespielte. Das erste offizielle Turnier, bei dem
man einen vom Stadtrat gestifteten silbernen Schläger gewinnen konnte,
fand dort 1744 statt. Sieger war ein Arzt namens John Rattray, der
anschließend Clubcaptain wurde.

Ende des 18. Jh. dehnte sich die Stadt so sehr aus, dass der Golfplatz
als Baugelände benötigt wurde. Der Club löste sich 1831 auf, konnte sich
aber fünf Jahre später in Musselburgh neu formieren. 1891 musste man
erneut umziehen, dieses Mal nach Muirfield, weiter östlich an der Küste –
und dort existiert der Club noch heute.

Wann wurden die ersten Regeln eingeführt?

Die „Gentlemen Golfers of Leith" legten 1744 ihre „Dreizehn Artikel" für die jährliche Meisterschaft fest. Vorher hatten sich die Spieler immer vor der Runde auf individuelle Regeln geeinigt. Die dreizehn Artikel wurden im Laufe der Zeit regelmäßig modifiziert, bilden aber auch heute noch den Kern der aktuellen Regeln.

Dreizehn Artikel

1. Der Ball wird innerhalb einer Schlägerlänge vom vorherigen Loch wieder abgeschlagen.
2. Der Ball wird vom Boden abgeschlagen.
3. Der abgeschlagene Ball darf nicht ersetzt werden.
4. Steine, Knochen und andere harte Dinge, die das Spiel behindern, dürfen nur auf dem Fairway entfernt werden und nur innerhalb einer Schlägerlänge vom Ball.
5. Liegt der Ball im Wasser oder auf nassem Untergrund, darf er aufgenommen, hinter dem Wasser abgelegt und mit jedem beliebigen Schläger gespielt werden; dafür erhält der Spieler einen Strafschlag.
6. Berühren sich zwei Bälle im Liegen, muss einer aufgenommen werden, bevor der andere gespielt wird.
7. Beim Einlochen muss tatsächlich der Versuch unternommen werden, den Ball in das Loch zu spielen; es ist nicht erlaubt, auf einen gegnerischen Ball zu zielen, der abseits der eigenen Puttlinie liegt.
8. Geht ein Ball verloren oder nimmt ihn der Spieler auf, muss er an die Stelle zurück, von der er zuletzt geschlagen hat, und dort einen neuen Ball droppen; dafür gibt es einen Strafschlag.
9. Beim Putten ist es nicht erlaubt, die Puttlinie mit einem Schläger oder mit etwas anderem zu markieren.
10. Trifft ein Ball eine Person, ein Pferd, einen Hund oder etwas anderes, muss er dort gespielt werden, wo er zu liegen kommt.
11. Setzt ein Spieler zum Schlag an und bewegt den Schläger nach unten auf den Ball zu, gilt der Schlag als ausgeführt, auch wenn der Schläger zerbrechen sollte.
12. Der Spieler, dessen Ball am weitesten vom Loch entfernt ist, macht den nächsten Schlag.
13. Gräben oder Senken, die zur Erhaltung des Platzes angelegt wurden, gelten nicht als Hindernis. Der Ball ist aufzunehmen und mit einem beliebigen Eisenschläger zu spielen. (Diese Regel galt nur für den Platz in Leith.)

5 **Wer ist heute für die Regeln zuständig?** Der Royal and Ancient Golf Club of St Andrews (R&A) und die United States Golf Association (USGA). Die Geschichte des privaten R&A, der aus der 22-köpfigen Society of St Andrews Golfers entstand, reicht zurück ins Jahr 1754 (der Name „Royal and Ancient" wurde dem Club erst 1834 von König Willhelm IV. verliehen).

Während die „Gentlemen Golfers of Leith" Anfang des 19. Jh. immer weniger wurden, nahm die Bedeutung der Society of St Andrews zu. Der Club übernahm die Regeln von Leith, änderte aber Regel 5 dahin gehend, dass der Ball nicht mehr abgelegt werden durfte, sondern gedroppt werden musste. Diese neuen Regeln wurden weltweit akzeptiert, und der Club galt bald als die offizielle Regelautorität. Das „Rules of Golf Committee" wurde erst 1897 gegründet, damals auf Drängen vieler anderer Clubs.

Die Regeln des R&A gelten international – mit Ausnahme der USA und Mexiko, wo die USGA das Sagen hat. Beide Organisationen arbeiten eng zusammen und treffen sich alle vier Jahre, doch ihr Verhältnis war nicht immer unproblematisch. Anfangs holte sich die USGA nur sehr sporadisch Rat vom R&A, und erst 1950 gelang es, sich auf ein weltweit gültiges Regelwerk zu einigen. Doch sogar damals gab es Differenzen wegen der Ballgröße – in Großbritannien verwendete man Bälle mit einem Durchmesser von 1,62 Inch, in den USA 1,68 Inch. Diese kleine Meinungsverschiedenheit konnte man erst 1974 beheben, als der R&A für die British Open zwingend einen Balldurchmesser von 1,68 Inch vorschrieb.

Trotz der allgemein guten Beziehungen seit jener Zeit tat sich 1998 ein neuer Disput auf, als es um den Trampolineffekt bei den Drivern ging (vgl. Frage 121).

6 **Seit wann gibt es Golf in den USA?** Als
schottische Auswanderer über den Atlantik segelten, um
in der Neuen Welt ein neues Leben zu beginnen, brachten sie das Golfspiel mit. Aufzeichnungen beweisen, dass 1743 eine große Kiste mit
Golfausrüstung – 96 Schläger und 432 Bälle – den Hafen von Edinburgh
mit Ziel South Carolina verließ.

Damals gab es in Harleston Green, in der Nähe von Charleston, sogar
schon eine Art Golfplatz. Das Spiel war dort schon seit mehr als 40 Jahren
bekannt, und man nimmt an, dass der South Carolina Golf Club 1786
gegründet wurde. So kurz nach dem Unabhängigkeitskrieg legte sich die
Begeisterung für den sehr britischen Golfsport aber rasch. Als das Gelände
1812 in ein Militärlager umgewandelt wurde, verschwand der Platz ganz.

Golf wurde erst in den 1880er-Jahren wieder populär, doch es ist
möglich, dass in Chicago auf einem Platz namens Douglas Field
schon 1875 wieder Golf gespielt wurde. 1884 gründeten der
Amerikaner Russel Montague und vier schottische Emi-
granten – George Grant, Lionel Torrin, Alex Mcleod und
Roderick Mcleod – einen Club in White Sulphur Springs in
West Virginia und bauten dort einen Golfplatz namens
Oakhurst Links. Bald schloss sich George Donaldson an, ein
Schotte, der von seinen häufigen Heimatbesuchen Bälle und
Schläger mitbrachte. Einmal wurde er von einem Zollbeam-
ten angehalten, der noch nie von Golf gehört und schon gar
keinen Golfschläger gesehen hatte. Er dachte, es handle sich
um Waffen und konfiszierte alle Schläger. Donaldson erhielt

*Das erste Foto einer Golfrunde in den USA. Von links: Harry Holbrook und
seine beiden Söhne, Alex Kinnan, John Upham und John Reid (vgl. Frage 7).*

sie jedoch drei Wochen später zurück, als das Außenministerium bestätigt hatte, dass es in Schottland tatsächlich ein Spiel dieses Namens gab.

Im Oakhurst Links Club wurde jedes Jahr an Weihnachten ein Turnier organisiert, das einen eigenen Namen erhielt und bei dem man einen Preis gewinnen konnte – wahrscheinlich das erste offizielle Golfturnier der USA. Als sich das Land 1893 in einer tiefen Rezession befand, gingen fünf der sechs Mitglieder jedoch wieder zurück in ihre Heimat, der Club wurde aufgelöst, und schon im Jahr 1900 war vom Golfplatz nicht mehr viel zu sehen.

Oakhurst wurde ab 1992 von Lewis Keller und Bob Cupp liebevoll „restauriert". Der Platz wurde am 20. Oktober 1994 wieder eröffnet und hat heute eine Länge von 2044 m. Besucher können sich Hickoryschläger und Guttaperchabälle ausleihen und sich so in die Mitte des 19. Jh. zurückversetzen.

7 **Wie heißt der älteste Club in den USA?** Der
älteste Club der USA ist wahrscheinlich der St Andrew's Golf
Club in New York, der am 14. November 1888 vom Schotten John Reid und
seinen fünf Freunden Harry Holbrook, Alex Kinnan, Kingham Putman,
Henry Tallmadge und John Upham gegründet wurde. Reid hatte im Februar
dieses Jahres drei Golfbahnen in einer Wiese abgesteckt und mit seinen
Freunden die erste Runde gespielt. Die Ausrüstung hatte zuvor ein weiterer
Freund, der New Yorker Textilhändler Robert Lockhart, aus Schottland mitgebracht, der den berühmten Golfladen von Old Tom Morris in St Andrews
schon im Jahr zuvor besucht und damals sechs Schläger und zwei Dutzend
Bälle bestellt hatte.

Der Golfplatz sollte größer werden, also zog der Club nach Shonnard
Place, Yonkers, um, wo man sechs Bahnen anlegte. Doch New York wurde
immer größer, und so musste der Club erneut umziehen, dieses Mal in einen
fast 14 ha großen Apfelhain, was den Mitgliedern den Spitznamen „Apple
Tree Gang" einbrachte. Das inoffizielle Clubhaus war ein großer Apfelbaum
neben dem ersten Abschlag, an dem die Hüte und Jacken der Spieler hingen.

Im Mai 1894 zog der Club zum 9-Loch-Platz Grey Oaks, der vom Schotten Samuel Tucker angelegt worden war, und 1897 zog er zum letzten Mal
um, dieses Mal nach Mt Hope am Hudson River, wo er noch heute als 18-
Loch-Platz existiert. Das Golfspiel war bei den Amerikanern bald so beliebt,
dass neue Plätze wie Pilze aus dem Boden schossen. Der berühmte Club
Shinnecock Hills auf Long Island wurde 1891 gegründet, zwei Jahre später
wurde der erste 18-Loch-Platz der USA im Chicago Golf Club in Belmont,
Illinois, eröffnet. Zur Jahrhundertwende gab es mehr als 1000 Clubs.

Der älteste Golfclub in Nordamerika ist jedoch der Royal Montreal Club
in Kanada, der schon 1873 gegründet wurde.

8 **Wann und wo wurde die USGA gegründet?** Sie wurde im Dezember 1894 bei einem Dinner im Calumet Club in New York gegründet. Anwesend waren Vertreter der fünf damals führenden Clubs – St Andrew's, Newport (Rhode Island), Country Club (Massachusetts), Shinnecock Hills (New York) und Chicago Golf Club. Die Versammlung wurde anberaumt, nachdem Charles Blair Macdonald, ein cholerischer Amerikaner schottischer Abstammung, gefordert hatte, dass es auch in den USA eine Regelorganisation geben müsse. Macdonald hatte zuvor Amateurturniere in St Andrew's und Newport verloren und weigerte sich, die Sieger als nationale Meister anzuerkennen.

Erste Aufgabe der Amateur Golf Association of the United States, wie das Gremium sich nannte, war die Ausrichtung einer offiziellen Amateurmeisterschaft und einer offenen Meisterschaft, an der sowohl Amateure als aus Professionals teilnehmen konnten. Beide Turniere wurden im Oktober 1895 in Newport durchgeführt, und der Amateurtitel ging an Macdonald, der Profititel an Horace Rawlins, der als Assistant Pro im dortigen Club arbeitete. John Reid, Mitglied der „Apple Tree Gang" (vgl. Frage 7) kam als Zehnter ins Ziel.

Der erste Präsident der Vereinigung war Theodore Havemeyer, ein reicher Zuckerbaron, der den Platz in Newport gebaut hatte. Später wurde die Organisation umbenannt in American Golf Association und schließlich in United States Golf Association.

9 **Wer war der erste Golfprofi?** Er war zwar kein Professional im heutigen Sinne, doch der Schotte Allan Robertson war der erste große Golfer. Er wurde 1815 als Sohn eines Golfballmachers in St Andrews geboren und ergriff später selbst diesen Beruf. Zusammen mit seinem Lehrling Tom Morris stellte er täglich drei oder vier „Featheries" her (vgl. Frage 130).

Er war als Handwerker äußerst geschickt, doch bekannt wurde er, als ihm 1858 als erstem Spieler eine 79er-Runde in St Andrews gelang, was angesichts der Ausrüstung und des Platzzustands jener Tage kaum zu glauben ist. Er war ein Meister des mittleren und kurzen Spiels, und weil er keine langen Schläge beherrschte, versuchte er seine Gegner dadurch zu besiegen, dass er seinen Ball immer im Spiel hielt. Das muss funktioniert haben, denn er hat nie eine Runde auf dem Old Course verloren.

Als er 1859 starb, trauerten viele Clubs in ganz Großbritannien. Ein Mitglied des R&A sagte: „Schließt eure Geschäfte und läutet die Glocken, denn der Größte unter ihnen ist von uns gegangen." Im folgenden Jahr wurde im Prestwick Golf Club ein Zählspielturnier veranstaltet, um seinen Nachfolger zu finden. Dieses Turnier nannte man Open Championship.

Der erste offiziell als Golfprofi angestellte Spieler war Tom Morris. Mit 18 ging er 1839 als Lehrling zu Allan Robertson, zerstritt sich aber mit ihm, als er entgegen dessen Anweisung mit den neuen, 1848 entwickelten Guttybällen spielte. 1851 wurde Morris Greenkeeper in Prestwick, 1865 kehrte er nach St Andrews zurück, wo er für 50 £ als Professional und Greenkeeper arbeitete und 1903, fünf Jahre vor seinem Tod, in Ruhestand ging. Er gewann die Open Championship viermal (1861, 1862, 1864 und 1867).

Allan Robertson, der erste große Golfer.

10 **Wie heißt der älteste Club der Welt außerhalb Großbritanniens?** Das ist der Royal Calcutta Golf Club in Indien, der 1829 von Soldaten gegründet wurde, die in Dum Dum stationiert waren, wo heute der Flughafen liegt. Der Club besitzt noch viele Uniformknöpfe mit der schottischen Distel. Anfangs hieß er Dum Dum Golf Club und erhielt erst 1911 das Attribut „Royal". Für die Ausbreitung des Golfsports in Asien spielte er eine wichtige Rolle, weil dort eine Grassorte namens *dhoob* entwickelt wurde, die dem heftigen Monsunregen widerstand. Heute hat der Club einen schönen Parklandcourse mit vielen Wasserhindernissen und ein hervorragendes Clubhaus, das in einem auffälligen Kontrast zur Armut der nahen Stadt steht.

11 **Seit wann spielen Frauen Golf?** Die schottische Königin Maria Stuart ist auf einem Gemälde von 1563 beim Golfspiel in St Andrews zu sehen. Sie spielte begeistert Golf oder *jeu de mail* (vgl. Frage 1), ein Spiel, das sie angeblich aus Frankreich mitgebracht hatte. Ihre sportliche Karriere nahm jedoch 1587 ein jähes Ende, als sie wegen Hochverrats hingerichtet wurde. Eines der Verbrechen, das man ihr zur Last legte, war, dass sie zu rasch nach dem Tod ihres Ehemanns, des Earl of Darnley, wieder Golf gespielt hatte.

Es überrascht nicht, dass es die nächsten zwei Jahrhunderte keine Golfspielerinnen gab. Aus einer Aufzeichnung weiß man, dass die Frauen der Fischer von Musselburgh, in der Nähe von Edinburgh, oft mit ihren Männern über den Golfplatz gingen und 1810 ihr eigenes Turnier mit Preisen durchführten – seidene Taschentücher, ein Schal und ein Korb für Fische.

Der erste Frauen-Golfclub wurde 1867 in St Andrews gegründet. Der kurze Platz führte über die Pilmore Links (heute ein großes Puttinggrün).

1893 hatte der Club schon 1312 Mitglieder, die als Aufnahmegebühr je sieben Shilling und Sixpence (heute 25 Cents) zahlen mussten. Aufgrund der strengen Kleidervorschriften der Viktorianischen Zeit hatten die Ladys kaum Bewegungsfreiheit und konnten nur den Putter benutzen. Trotz ihres harmlosen Spiels waren sie in der Bevölkerung nicht besonders angesehen, und eine gewisse Miss Stewart stellte fest: „Eine Dame mit Putter ist ein leichtes Mädchen und sollte auf jeden Fall gemieden werden."

Doch die Frauen ließen sich nicht abschrecken, und 1899 gab es in Großbritannien 128 Frauenclubs, einschließlich der „London Scottish Ladies", die auf dem Dorfanger in Wimbledon spielten. Issette Pearson, eine der Clubdamen, war maßgeblich an der Gründung der Ladies' Golf Union am 19. April 1893 beteiligt und wurde die erste Vorsitzende. Sie war außerdem eine gute Spielerin und schaffte es ins Finale der ersten British Women's Amateur Championship, die ebenfalls 1893 stattfand. Allerdings verlor sie gegen die damals beste Golferin der Welt, Lady Margaret Scott, die den Titel dreimal gewann und dann nicht mehr antrat. Sie hatte das Spiel von ihren drei Brüdern gelernt, die alle mit einem Scratchhandicap spielten.

Golferinnen in den USA

In den USA war es in vielen Familien üblich, einem Countryclub beizutreten, was es den Frauen leichter machte, sich im Golf zu etablieren. 1891 beauftragten die Mitglieder von Shinnecock Hills, Willie Dunn einen 9-Loch-Platz für die Damen anzulegen, der aber leider nie verwirklicht wurde. Das Frauengolf fasste trotzdem rasch Fuß.

1893 gründete Mrs Hopkins einen Club in Morris County, New Jersey. Innerhalb von nur zwei Jahren hatten aber die 200 männlichen Mitglieder den Platz übernommen und die Clubregeln geändert.

Die US Women's Amateur Championship wurde 1895 erstmals ausgetragen, also im selben Jahr wie die US Amateur Championship und die US Open. Mrs Brown, Mitglied in Shinnecock Hills, triumphierte im Meadow Brook Golf Club in Hempstead, New York, mit einem Ergebnis von 132 Schlägen. Dies war die einzige Meisterschaft, die als Zählspiel ausgetragen wurde. Als Mrs Brown im folgenden Jahr nicht antreten wollte, nahm ihren Platz die erst 16 Jahre alte Beatrix Hoyt ein, Enkelin des obersten Richters Salmon P. Chase. Sie bezwang im Finale Mrs Turnure mit 2&1. Sie gewann erneut 1897 und 1898 und etablierte sich als erste wirklich große Golferin der USA.

12 **War Golf jemals olympische Sportart?** Ja, zweimal: 1900 in Paris und 1904 in St Louis. Baron Pierre de Coubertin, Begründer der modernen olympischen Bewegung, ließ Spiele von Paris gleichzeitig mit der Weltausstellung stattfinden, bei der auch der Eiffelturm enthüllt wurde. Doch die Sportveranstaltungen waren so schlecht organisiert und schwach besucht, dass sie praktisch bedeutungslos waren. Einige Gewinner wussten lange nicht, dass sie Olympiasieger waren. Margaret Abbott, die Siegerin des olympischen Golfturniers, wusste bis zu ihrem Tod 1955 nichts von ihrem olympischen Titel.

Das Damenturnier ging über neun Löcher und Abbott, Mitglied im Chicago Golf Club und auf Urlaub in Paris, meldete sich nur zum Spaß an. Die Männer spielten zwei Runden, und wenn man sich den Siegerscore von 167 Schlägen ansieht, ist klar, dass an diesem Turnier nicht die weltbesten Spieler teilgenommen haben. Charles Sand, der Olympiasieger, schaffte es bis ins Finale der ersten US Amateur Championship, unterlag aber dort Charles Blair Macdonald mit 12&11. Anschließend verkündete er, dass er eigentlich lieber Tennis spiele.

Auf dem Treppchen

1900 Paris-Compiègne

Herren	Damen
1. Charles Sands, USA, 167	1. Margaret Abbott, USA, 47
2. Walter Rutherford, UK, 168	2. Paulie „Polly" Whittier, USA, 49
3. David Robertson, UK, 175	3. Daria Pratt, USA, 53

1904 St Louis

Herren	Team
1. George Lyon, Canada, 3&2	1. USA: Western Golf Association
2. H. Chandler Egan, USA	2. USA: Trans Mississippi Golf Association
3. Burt McKinnie, USA/Francis Newton, USA	3. USA: United States Golf Association

1904 wurde das Turnier als Lochwettspiel ausgetragen. Sieger war der
46-jährige Kanadier George Lyon, der
erst neun Jahre Golf spielte. Er schlug
im Finale den US Amateur Champion
H. Chandler Egan mit 3&2 und mar-
schierte aus Freude darüber im Hand-
stand am Clubhaus vorbei. Es gab auch
ein Mannschaftsturnier, bei dem amerikanische Teams die ersten drei Plätze
belegten – kein Wunder, denn 85% der
Teilnehmer waren Amerikaner.

Noch mal olympisch?
Das für Amateure zuständige Gremium
der USGA hat einen Antrag an das
Internationale Olympische Komitee
geschickt und angeregt, bei den
Olympischen Spielen 2008 zwei Golf-
turniere zu organisieren – eines für
Damen, eines für Herren – und mit
jeweils 50 Spielern ein Zählspiel über
72 Löcher auszutragen.

Zugelassen würden die beiden Topspieler jedes Landes, vorausgesetzt sie
sind unter den 300 Besten der offiziellen Weltrangliste platziert, außerdem
würde man einige Wildcards vergeben,
um sicherzustellen, dass jeder Kontinent
angemessen vertreten ist.

13 Warum hat ein Golfplatz 18 Bahnen?

Der erste Golfplatz im schottischen St Andrews hatte
22 Bahnen – elf in jede Richtung. Die Spieler kehrten um und spielten auf
dieselben Grüns bzw. in dieselben Löcher auf ihrem Weg zurück ins Clubhaus – damals der Old Union Parlour – direkt in der Stadtmitte.

Als im Frühjahr 1764 ein gewisser William St Clair für eine Runde nur
121 Schläge brauchte, beschlossen die Mitglieder des R&A, den Platz
schwieriger zu machen, und kombinierten die Bahnen 1 und 2 sowie 3
und 4, sodass es ab da jeweils zwei Hälften à neun Bahnen gab. Die
Society of St Andrews Golfers gewann immer mehr an Einfluss, und so
wurde diese 1858 offiziell, als der R&A neue Regeln erließ, in denen u.a.
zu lesen war: „Als Match gilt eine Runde am Platz, also 18 Bahnen."

Golfplätze

14 **Welches sind die zehn besten Plätze der Welt?** Schwer zu sagen, denn diese Einschätzung ist immer sehr subjektiv. Die folgende Liste wurde von mir erstellt und stimmt vielleicht nicht mir Ihrer eigenen Meinung überein. Es ist immer schwer, sich auf zehn Clubs festzulegen, denn kaum einer wird aus voller Überzeugung sagen können, dass Muirfield besser ist als Augusta National oder Royal Melbourne besser als St Andrews. Es kann sein, dass man den einen Platz lieber spielt als den anderen, doch mit „besser" hat das nichts zu tun. Hier sind also meine Top Ten.

Muirfield, Schottland

Heute beherbergt Muirfield den ältesten Club der Welt, die Honourable Company of Edinburgh Golfers. Der Platz wurde 1891 von Tom Morris Sr. angelegt, wurde aber erst richtig gut, als ihn Harry Colt und Tom Simpson 20 Jahre später umbauten. Noch heute ist Muirfield für viele Topspieler der beste Platz, auf dem die British Open ausgetragen werden. Dieses Turnier wurde 1892 zum ersten Mal dort gespielt, und es gewann der Amateur Harold Hilton mit einem Score von 305 Schlägen nach vier Runden. Bis 2001 fanden die British Open noch 13-mal dort statt. Zu den Siegern zählten James Braid, Walter Hagen, Henry Cotton, Gary Player, Jack Nicklaus, Lee Trevino, Tom Watson und Nick Faldo – eine Siegerliste, mit der sich jeder Club gern schmücken würde. 2002 wurden die British Open bisher zum letzten Mal hier ausgetragen.

Royal Birkdale, England

Der heutige Platz ist größtenteils das Werk von Fred Hawtree, der zusammen mit dem fünfmaligen British Open Champion J.H. Taylor den ursprünglich von George Lowe angelegten Kurs umbaute, nachdem Schläger mit Stahlschaft immer populärer wurden. Die Bahnen wurden der Fairness halber durch die Dünen geführt, nicht über sie hinweg, doch deren Einfluss ist auch für heutige Spieler eine Herausforderung. So gewaltige Sanddünen gibt es sonst wohl nur noch im Royal Portrush in Irland und im Royal St. George's in England. Oben postieren sich gerne viele Zuschauer, und so manch ein Grün ist regelrecht eingekesselt. Die erste Bahn, ein doppeltes Dogleg mit 411 m, ist vielleicht als Eröffnungsbahn zu schwierig, doch Birkdale wurde gebaut, um auch den Besten der Besten eine Herausforderung zu bieten. Als die British Open 1998 dort ausgetragen wurden, bezeichnete der Sieger Mark O'Meara ihn als den besten Platz in Großbritannien.

Royal County Down, Nordirland

Der Platz liegt so idyllisch zwischen der Irischen See und den Bergen von Mourne, dass so manch ein Golfer dem Herrgott für diesen Sport dankt, wenn er dort spielen darf. Keine andere Sportart wird an einem so schönen Ort ausgetragen. Der Royal County Down wurde 1889 von Tom Morris Sr. angelegt, der ihn weitgehend natürlich beließ. Manch einer beklagt sich über die vielen blinden Schläge, doch genau das ist ja das Spannende auf einem so ehrwürdigen Platz in den Dünen. Für Tom Watson sind die ersten neun Bahnen die schönsten, die er je gespielt hat.

Shinnecock Hills, New York

Dieser Platz wurde inspiriert von den schottischen Linkscourses und beweist, dass sich die besten Plätze der Landschaft anpassen und nicht künstlich angelegt werden sollten, wie dies heute so oft der Fall ist. Mutter Natur gebührt

Nächste Seite: José María Olazábal auf dem Weg zum 16. Grün im Augusta National beim Masters 1994.

ein Großteil der Ehre für dieses Meisterwerk auf Long Island, doch auch der schottische Pro Willie Dunn, der die ursprünglichen 18 Bahnen anlegte, hat seinen Anteil daran, ebenso Dick Wilson, der glücklicherweise den Charakter des Platzes nicht änderte, als er ihn 1931 umbaute und verlängerte. Es entstand ein Meisterschaftsplatz in einem Club, der allerdings nicht ins Rampenlicht treten wollte und die US Open erstmalig 1986 austrug. Das Turnier kehrte 1995 und 2004 dorthin zurück.

Augusta National, Georgia

Der Platz wurde vom großen Bobby Jones zusammen mit Dr. Alister Mackenzie gebaut und öffnete 1932 seine Tore. Seitdem wird dort jedes Jahr das Masters Tournament ausgetragen. Er wurde mitten in einer ehemaligen Obstplantage angelegt, und noch heute sind dort exotische Pflanzen und Bäume zu sehen. Jones und Mackenzie waren sich einig, dass ein Platz die schlechten Schläge nicht übermäßig bestrafen sollte, wollten aber die Fantasie und das strategische Denken der Spieler testen. Der Augusta National hat deshalb relativ wenige Bunker, nur fünf Bahnen mit Wasserhindernissen sowie besonders breite Fairways. Er ist ein Platz für Taktiker, auf dem solche erfolgreich sind, die den Ball besonders platziert spielen können. Jedes Loch ist ein leichtes Bogey, aber ein schweres Par. Tom Fazio verlängerte den Platz für das Masters 2002 um 260 m, wodurch eine Parrunde von 72 noch schwerer zu spielen war.

Royal Melbourne, Australien

Dr. Alister Mackenzie ist in den USA bekannt für die Plätze Augusta National und Cypress Point in Kalifornien. Doch bevor er diese beiden Plätze baute, tat er sich mit dem Sieger der Australien Open von 1924, Alex Russel, zusammen und legte den Royal Melbourne an, der schon bald als bester Platz Australiens bzw. der gesamten südlichen Halbkugel gerühmt wurde. Das sandige Heidegelände lag früher einige Meilen östlich der Stadt, ist aber heute von einem Vorort umgeben. Die Qualität des Designs ist aber auch heute noch deutlich: Die Bunker sind Kunstwerke und die Grüns gehören zu den schnellsten der Welt.

Royal Portrush (Dunluce Course), Nordirland

Viele Plätze in den Dünen sind wunderschön, viele sind brutal, doch kaum einer vereint beides so perfekt wie der Royal Portrush: Die Bahnen sind schön gelegen, man hat einen herrlichen Blick über die Küste von Antrim. Gleichzeitig sind sie teuflisch schwer zu spielen, besonders bei windigem Wetter. In seinem Buch *A Round of Golf Courses* beschreibt Patric Dickson den Platz so: „Es gibt keinen anderen Dünenplatz, der so ehrwürdig, groß, weit und hoch ist. In Portrush möchte man am liebsten selbst dem Ball hinterherfliegen." Aus verschiedenen Gründen wurden die British Open dort nur 1951 ausgetragen. Sieger war Max Faulkner mit einem Score von 285 Schlägen.

Pebble Beach, Kalifornien

Schlechter als auf Rang acht wird Pebble Beach wohl in keiner Top-Ten-Liste erscheinen. Zweifellos sind die Bahnen 7 bis 10 für jeden Golfer ein dramatisches Highlight, und Loch 18 ist die beste letzte Bahn der Welt. Die anderen Bahnen werden für meinen Geschmack jedoch etwas überbewertet, denn sie beschleunigen den Puls nicht so sehr wie die anderen.

Die traumhafte Bahn 7, ein kurzes Par 3, das man an einem ruhigen Tag gut mit dem Sand Wedge bewältigen kann, wurde schon unzählige Male fotografiert und gemalt. Bei der Annäherung zum 8. Grün muss der Ball eine tiefe Schlucht überqueren, die Golfbälle regelrecht anzieht und verschlingt. Die Bahnen 9 und 10 sind schwere, aber faszinierende Par-4-Löcher. Die 18. Bahn, der Höhepunkt des Platzes, ist mit ihren gut 500 m besonders dramatisch, denn links vom Fairway sieht man nichts außer Felsen und Meer. Mit einem Par ist man hier immer gut bedient.

Ballybunion (Old Course), Irland

In Irland gibt es viele fantastische Dünen-plätze, und Royal County Down sowie Royal Portrush wurden ja schon er-wähnt. Viele würden auch Waterville und Portmarnock in ihre Top-Ten-Liste aufnehmen, und auch County Louth, Bayliffin, County Sligo, Old Head sowie der European sollten nicht unerwähnt bleiben. Doch Ballybunion ist ein Platz, der viele Golfer aus der ganzen Welt magisch anzieht und nicht mehr aus seinem Bann lässt – alle wollen zurück-kommen. Tom Watson empfiehlt allen Golfplatzarchitekten gleich zu Beginn ihrer Laufbahn diesen Platz zu spielen. Die ersten Bahnen sind etwas farblos, und die letzte Bahn ist enttäuschend, doch was dazwischenliegt, ist einfach faszinierend. Würde man die weniger guten Bahnen verändern, wäre Bally-bunion zweifellos der beste Platz der Welt.

St Andrews (Old Course), Schottland

Der berühmteste Golfplatz der Welt ist auch einer der exzentrischsten Plätze, und viele Golfer würden ihn in diese Liste gar nicht aufnehmen. Wenn er nicht schon 500 Jahre alt wäre, würden ihn manche wahrscheinlich wegen der vielen blinden Schläge und versteckten Bunker, wegen der sieben Doppelgrüns und des abschließenden Par-4, das man mit dem Abschlag erreichen kann, belächeln. Andere, und dazu gehöre auch ich, sehen das anders, denn gerade wegen dieser Eigenheiten macht es so viel Spaß, diesen Platz zu spielen. Die Welt des Golfs braucht ein Museums-stück wie dieses, das deutlich macht, wie die Plätze früher angelegt wurden. Dass St Andrews auch heute noch eine Herausforderung für die besten Golfer der Welt ist, besonders wenn der Wind heftig weht, zeigt nur, dass er zu den besten gehört.

15 **Welcher Platz ist der schwierigste der Welt?** Es gibt sehr viele schwierige Plätze, doch der allerschwierigste ist wohl Pine Valley in Clemento im US-Bundesstaat New Jersey. In Golferkreisen ist er zwar bekannt, doch viele haben noch nie von ihm gehört, weil er nicht so oft im Fernsehen ist wie der Augusta National oder St Andrews. Pine Valley ist ein dicht bewaldeter Platz, von dem aus die Live-Berichterstattung sehr schwierig ist, und deshalb ist er relativ unbekannt – und legendenumwoben.

Pine Valley in Zahlen
- Länge 6389 m vom hinteren Abschlag, Par 70
- USGA Slope Rating: 155 vom hinteren, 150 vom vorderen Abschlag
- Schwierigste Bahn: wohl Bahn 7, ein Par 5 mit 535 m und zwei Insel-Fairways, die ein 137 m breiter Sandgraben trennt, der sich Hell's Half Acre nennt. Das Grün wird durch einen großen Bunker verteidigt, ein dichter Wald zieht sich die gesamte Bahn entlang.

Er wurde vom Hotelier George Crump gebaut, der keine Erfahrung mit der Gestaltung von Golfplätzen hatte und Haus und Geschäft verkaufte, um den Bau zu finanzieren. Er beauftragte den bekannten britischen Architekten Harry Colt. Im Januar 1918, als erst 14 Bahnen fertig waren, starb Crump, hinterließ aber dem Club die finanziellen Mittel, um den Platz fertigzustellen. Er wurde ein Jahr darauf eröffnet und vom Golfplatzarchitekten Donald Ross als einer der weltbesten bezeichnet.

Pine Valley hat so viele Hindernisse und lässt so wenig Raum für Fehler, dass Clubmitglieder oft mit Golfern, die das erste Mal dort spielen, darauf wetten, dass sie nicht unter 80 Schläge kommen. Wenn man weiß, dass

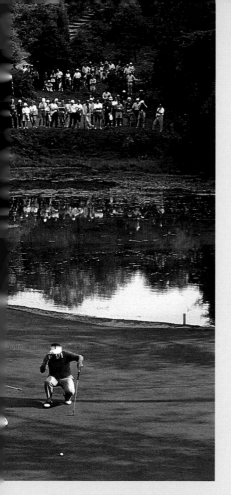

1985 wurde der Walker Cup in Pine Valley ausgetragen und bot Golffans die seltene Chance, den schwierigsten Platz der Welt zu sehen.

die über zwei Runden ausgetragene Clubmeisterschaft einmal mit 173 Schlägen gewonnen wurde – 33 über Par – und ein Par 3 auch mal mit 20 oder 30 Schlägen verlassen wird, wundert es nicht, dass die Clubmitglieder diese Wette immer gewinnen. Nur Arnold Palmer machte als junger Amateur in Pine Valley eine andere Erfahrung. Er nahm die Wette an, um mit dem Gewinn seine Hochzeit zu finanzieren, und erhielt mit seiner 68er-Runde und zwei unter Par die Summe von 800 $, die schon fast ausreichte, um den Ehering zu kaufen.

Die bekannteste Geschichte aus Pine Valley handelt aber von einem Mann namens Woody Platt, dem es einmal gelang, die ersten vier Bahnen mit sechs unter Par zu spielen: ein Birdie auf der 1, ein Eagle auf der 2, ein Hole-in-One auf der 3 und ein weiteres Birdie auf der 4 – danach genehmigte er sich einen Drink im Clubhaus und wagte sich nicht mehr zurück auf den Platz, sondern verbrachte den Rest des Tages an der Bar.

16   ## Und die zehn schwierigsten Spielbahnen?

Auch hier kann jede Liste nur subjektiv sein, doch die folgenden Spielbahnen sind gute Kandidaten.

Loch 17, St Andrews (Old Course), Schottland

Ein Par 4 mit 422 m. Ben Crenshaw sagte einmal, dies sei das beste Par 4 der Welt, weil es eigentlich ein Par 5 sei. Das hört sich sonderbar an, doch Sie wissen schon, wie es gemeint ist. Man schlägt den Ball blind über alte Eisenbahnschuppen ab und sollte sich rechts am Fairway orientieren, um einen guten Winkel für die Annäherung zu erhalten. Dort ist als Ausgrenze eine Mauer, aber schlägt man den Ball zu weit nach links, wartet schon das tiefe Rough. Für die Annäherung braucht man je nach Wind zwischen einem Eisen 3 und 8. Das Grün ist sehr flach und wird vorn vom berühmten Road Bunker verteidigt – einem 3 m tiefen Loch mit senkrechten Wänden. Hinter dem Grün verläuft die Straße, und von dort hat man kaum eine Chance, in zwei Schlägen einzulochen. Bei den British Open 1885 kam David Ayton als Führender mit einem komfortablen Abstand an die 17. Seine Annäherung ging jedoch über das Grün hinaus auf die Straße. Dann flog der Ball einige Male zwischen Straße und Bunker hin und her, Ayton verließ das Grün mit einer 11 und verlor das Match mit zwei Schlägen Abstand an Bob Martin. J.H. Taylor, einer aus dem „großen Triumvirat", brauchte hier einmal 13 Schläge. Für Seve Ballesteros, der die British Open 1984 gewann, ist dies „zweifellos das schwerste Loch der Welt."

Loch 17, Olympic Club (Lake Course), Kalifornien

Ein Par 4 mit 428 m. Nicht immer ist ein schwieriges Loch auch ein gutes Loch, doch auf Bahn 17 im Olympic Club trifft beides zu. Auf Privatrunden wird die Bahn als Par 5 gespielt, nur bei den US Open, die schon viermal hier ausgetragen wurden, ist es für die Profis ein Par 4, das kaum einer der Spieler wirklich mag. Nach einem guten Abschlag mit einer Annäherung mit einem langen Eisen kämpft man mit einem Grün, das extrem von links nach rechts abfällt. Lee Janzen verließ dieses Grün in den ersten drei Runden der US Open von 1988 mit 5 über Par – und gewann trotzdem das Turnier.

Loch 12, Augusta National, Georgia

Ein Par 3 mit 142 m. Ein kurzes Par 3, das man mit einem Eisen 8 erreicht, sollte eigentlich nicht allzu schwierig sein, doch diese Bahn hat drei Hindernisse, die den Schwierigkeitsgrad enorm erhöhen. Vor dem Grün wartet ein kleiner Bach auf alle Bälle, die das Grün nicht erreichen und das steile Ufer hinunterrollen. Der ständig wehende Wind erschwert die Schlägerwahl, und das Grün selbst ist extrem flach. Wasser vor dem Grün, ein Bunker direkt dahinter – hier braucht man einen guten Blick für die Entfernung. Und die Spannung, die die Spieler bei den US Open spüren, wenn sie das Grün betreten, macht die Sache auch nicht leichter. Bei den Masters 2002 hatte das Loch eine Länge von 150 m, doch auch hier reichte den meisten Spielern ein Eisen 8.

Loch 6, Royal Birkdale, England

Ein Par 4 mit 448 m. Auch diese Bahn wird auf Privatrunden als Par 5 gespielt und nur in Turnieren als Par 4. Nach einem langen, geraden Drive (wehe, wenn der Abschlag nicht lange und gerade ist) geht die Bahn im 90°-Winkel nach rechts. Mit einem langen Eisen oder einem Fairwayholz kann man das Grün angreifen, das etwa 6 m über dem Fairway auf einer Sanddüne liegt. Während der British Open 1998 brauchten die Spieler hier im Durchschnitt 4,63 Schläge.

Loch 15, Royal Lytham and St Annes, England

Ein Par 4 mit 463 m. Diese Spielbahn ist die schwerste eines Platzes, der nur schwere Par-4-Löcher hat. Sie verläuft erst relativ gerade, dann leicht nach rechts, und man benötigt zwei volle Schläge mit einem Holz, um das Grün zu erreichen. Der ständige Wind, das tiefe Rough und die 14 Bunker (sieben in Reichweite des Abschlags) tragen dazu bei, dass dies eine der gefürchtetsten Spielbahnen bei den British Open ist.

Loch 9, Pebble Beach, Kalifornien

Ein Par 4 mit 424 m. Es ist extrem schwierig, dieses Grün in zwei Schlägen zu erreichen, denn es muss nicht nur der Abschlag stimmen, sondern man muss sich auch vom fantastischen Ausblick über die Bucht von Carmel losreißen und sich auf jeden Schlag

voll konzentrieren. Das Fairway geht leicht abwärts auf ein kleines Grün zu, das hinter einem Hügel liegt und links von einem Bunker verteidigt wird. Über die Hälfte der Pars bei den US Open 1992 gelangen nur durch einen Einerputt.

Loch 16, Fujioka, Japan

Ein Par 5 mit 556 m. Vom hinteren Abschlag ist dies noch ein echtes Par 5. Viele Bahnen, bei denen man das Grün in drei Schlägen erreichen soll, werden heute schon mit zwei Schlägen gespielt, doch das passiert auf Loch 16 in Fujioka höchst selten. Der Abschlag geht bergauf, die Ausgrenze verläuft gleich links, und selbst wenn der Ball oben auf dem Hügel landet, kann man das Grün noch nicht sehen. Nach dem zweiten Schlag mit einem Fairwayholz hat man noch ein mittleres oder kurzes Eisen auf das Grün, das links von einem See verteidigt wird.

Loch 17, Kiawah Island, South Carolina

Ein Par 3 mit 180 m. Kiawah Island, einer der schwersten Plätze in den USA, wurde speziell für den Ryder Cup 1991 gebaut. Von den vielen fantastischen ist Loch 17 besonders bekannt, ein Par 3, bei dem zwischen dem Abschlag und dem Grün nichts als Wasser liegt. Durch den ständigen Gegenwind greifen viele Spieler hier zum Eisen 3, und auch das stark abfallende Grün macht den Schlag nicht leichter.

Mark Calcavecchia erlebte hier einen der schlimmsten Momente seiner Karriere, als er bei einem Lochwettspiel gegen Colin Montgomerie seinen Abschlag ins Wasser verzog. Mit vier Löchern Vorsprung bei

noch vier zu spielenden Löchern verlor er jedes Loch und musste sich das Match teilen.

Loch 18, The Belfry, England

Ein Par 4 mit 433 m. Nur mit einem hervorragenden Drive über das Wasser und einer guten Annäherung wieder über das Wasser hat man die Chance, ein Bogie oder noch schlechteres Ergebnis zu vermeiden. An diesem Loch wurden schon viele Matches im Ryder Cup entschieden. Das Grün ist 64 m lang, drei Plateaus machen das Putten ebenso schwierig wie den Schlag auf das Grün.

Loch 18, TPC at Sawgrass, Florida

Ein Par 4 mit 402 m. Der von Pete Dye gestaltete Platz wurde speziell für die Tournament Players Championship gebaut, die von manchen als das fünfte Major-Turnier bezeichnet wird. Fast an jeder Bahn kommt Wasser ins Spiel, zumindest für die Clubspieler. Am bekanntesten ist Loch 17, ein kurzes Par 3 mit einem Inselgrün, doch am schwierigsten ist Loch 18. Das Wasser links am Fairway entlang ist ein Albtraum für jeden Spieler, dessen Ball gerne einen Hook oder Draw vollführt. Auch ein Fade beschert eine ungünstige Ausgangslage, weil der zweite Schlag noch sehr lange ist. Tiefe Bunker am Grün und Wasser auf der linken Seite machen die Annäherung besonders schwierig. Bei der Players Championship 1999 war das Durchschnittsergebnis hier 4,56 und die Spielbahn damit die schwierigste außerhalb der Major-Turniere in diesem Jahr.

Der Bunker am linken Rand des 9. Grüns in Pebble Beach.

17 Was ist die am meisten fotografierte Spielbahn

der Welt? Sicher Loch 16 in Cypress Point. Auf diesem Platz in Kalifornien fand noch nie ein Major-Turnier statt, und auch auf der PGA-Tour wurde er über 20 Jahre lang nicht mehr gespielt, doch jeder erkennt das 16. Loch, ein Par 3 mit 213 m, sofort. Der Abschlag muss mehr als 180 m Wasser überwinden, um das Grün zu erreichen, das auf einem schmalen Plateau jenseits der Schlucht liegt.

Andere Bahnen? Loch 3 in Punta Minta in Mexiko, ein Par 3 namens „Tail of the Whale", ist auch weltweit bekannt, ebenso Loch 14 in Cœur D'Alene in Idaho, dessen großes Inselgrün man nur mit einem Boot erreicht. Gerade in Golfresorts findet man so auffällige Bahnen besonders häufig, weil dort viel Wert auf Ästhetik gelegt wird und weniger auf die Platzstrategie.

Es gibt aber noch eine Reihe weiterer Spielbahnen, die allseits bekannt sind: Loch 7 und 18 in Pebble Beach, Loch 12 und 13 im Augusta National, Loch 10 in Sunningdale in England, Loch 7 in Vale de Lobo in Portugal und Loch 18 im Mahoney's Point im irischen Killarney.

Loch 16 in Cypress Point wurde wohl öfter fotografiert als jede andere Spielbahn der Welt.

18   **Was versteht man unter „Links"?** Linksplätze gelten als die Wiege des Golfsports, denn in den Dünen entlang der schottischen Ostküste spielte man Golf schon im 15. Jh., wahrscheinlich sogar noch früher.

Solche Dünenlandschaften sind Überbleibsel der letzten Eiszeit. Das Wasser zog sich allmählich zurück und gab den Sandboden frei, den der Wind zu riesigen Dünen auftürmte, die mit der Zeit durch Vegetation stabilisiert wurden. Zum kurzhalmigen Festucagras, das durch das raue Klima abgehärtet und von Schafen und Kaninchen kurz gehalten wurde, und dem dickeren Marramgras kamen bald Heidekraut und Ginster hinzu.

Diese Landschaften bezeichnete man als *links,* weil sie genau das waren, was der englische Begriff aussagt: eine Verbindung, *link,* zwischen dem Meer und dem flacheren Land dahinter. Diese hügeligen Gegenden voller Senken und Gräben eignen sich nicht für den Ackerbau, sind jedoch wegen des festen und doch federnden Untergrunds ideal für das Golfen. Linksplätze sind meist starkem Wind vom Meer ausgesetzt, und nur Bent- und Festucagras überleben neben Büschen und Sträuchern die Kombination aus Salzwasser und Wind.

Fast alle alten Linksplätze sind weitgehend naturbelassen, sie entwickelten sich im Lauf der Zeit mit Hilfe der dort grasenden Tiere, die Gruben im Sand anlegten, um sich vor dem Wind zu

Inlandlinks

Golfplätze abseits der Küste, die auf sandigem Untergrund gebaut sind und auf denen das für die Küste typische Gras wächst, werden manchmal als Inlandlinks bezeichnet. Ein solches Beispiel in den USA ist Pine Valley in New Jersey, auf dem es zwar viele Bäume gibt, dessen Gras aber dem von Linksplätzen gleicht. Ein neuer, ebenfalls hervorragender Inlandlinksplatz ist Sand Hills in Nebraska. Er wurde vom zweifachen Masters-Sieger Ben Crenshaw und seinem Partner Bill Coore gebaut und 1995 eröffnet. Heute zählt er zu den Top Ten in den USA.

Beispiele in Großbritannien sind Sunningdale (1900), Walton Heath (1903) und Wentworth (1924), die alle südlich bzw. westlich von London liegen und zu den besten 100 Linksplätzen der Welt zählen, ebenso Woodhall Spa in Lincolnshire (1905) und Ganton in Yorkshire (1891).

Linksplätze sind Dünenplätze an der Küste.

schützen. Diese Gruben wurden später als Bunker genutzt. Nur ganz wenige Linksplätze haben künstliche Wasserhindernisse. Der Swilcan Burn (*burn* Schottisch für „Bach") quert die Bahnen 1 und 18 des Old Course in St Andrews, doch er war schon lange vor dem Golfplatz da.

Alister Mackenzie, einer der größten Golfplatzarchitekten, war ein Fan von Linksplätzen und überzeugt, dass die Natur selbst die beste Grundlage für einen guten Platz schuf. „Golf auf einem guten Linksplatz ist wahrscheinlich das beste Spiel der Welt", sagte er. „Auf den Inlandsplätzen der Viktorianischen Zeit mit ihren flachen Fairways, flachen, offenen Grüns, langem Rough, das zur langen Ballsuche verleitet, und den gezielt platzierten Hindernissen … beleidigt das Spiel nicht nur den Instinkt jedes Künstlers und Golfspielers, sondern ist auch der langweiligste Zeitvertreib, den man sich vorstellen kann."

Die British Open werden seit ihrer ersten Austragung ausschließlich auf Linksplätzen gespielt, und das wird auch in absehbarer Zeit so bleiben.

19 Gibt es in den USA echte Linksplätze?

Wenn Sie hohe Dünen, extrem kurz gemähte Fairways und Plätze ohne Bäume und Wasserhindernisse suchen, dann werden Sie in den USA nicht fündig. Dort finden Sie eher Plätze mit üppigem Gras, Bäumen an den Fairways entlang und vielen Wasserhindernissen. Einige Golfplätze, die Anfang des 20. Jh. an den Küsten gebaut wurden, ähneln zwar britischen Linkscourses, doch die meisten haben zu viel Vegetation, um als echte Linksplätze zu gelten. Gute Beispiele dafür sind die National Golf Links auf Long Island und viele benachbarte Plätze (vgl. Frage 40).

Gleich neben dem National liegt Shinnecock Hills, auch ein Platz, der wie ein Linkscourse wirkt, aber doch keiner ist. Auch Pebble Beach in Kalifornien wird oft als Linksplatz bezeichnet, doch nur die Bahnen an den Klippen entlang verdienen diese Bezeichnung, auch wenn die meisten Schotten hier nicht zustimmen würden. Die besten Beispiele für Linkscourses in den USA sind wohl Bandon Dunes und Pacific Dunes, zwei hervorragende Plätze an der Küste Oregons.

Shinnecock Hills GC, New York, USA.

20 **Warum finden die British Open immer auf einem Linkscourse statt?** Das Turnier wurde von 1860 bis 1873 in Prestwick ausgetragen. Danach bat man zwei weitere Clubs mit Linksplätzen, nämlich den R&A und die Honourable Company of Edinburgh Golfers, sich auch an der Ausrichtung dieser Meisterschaft zu beteiligen. Die Wurzeln des Turniers liegen also auf Linksplätzen und bis in die 1920er-Jahre hinein gab es auch keinen qualitativ hochwertigen Platz im Landesinneren, der sich dafür geeignet hätte.

So etablierte sich die Praxis, die British Open nur auf Linksplätzen auszutragen, und heute wird jeder Vorschlag, das Turnier auf einem anderen Platz zu spielen, schon allein von der Größe des Events zunichtegemacht. Die britischen Inlandsplätze sind meist von der Fläche her kleiner und haben einen dichten Baumbestand, sodass die Massen an Zuschauern, Verkaufsständen, Ausstellungszelten und Tribünen gar nicht untergebracht werden könnten. Der Hauptgrund ist aber nach wie vor die Tradition.

Zwischen 1860 und 2002 fand das Turnier auf 14 Plätzen in 13 Clubs statt (die Honourable Company of Edinburgh Golfers hat zwei Plätze). Zu den Austragungsplätzen gehören u.a. der Old Course in St Andrews, Muirfield, Royal Troon, Turnberry, Carnoustie, Royal Birkdale, Royal Lytham and St Annes, Royal St George's und Royal Liverpool (Hoylake), wo das Turnier 2001 erstmals seit 31 Jahren wieder Station machte.

Amerikas vergessener Linkscourse

Der Lido auf einem sandigen Streifen am Long Beach in New York hätte Amerikas bester Linksplatz werden können – existierte er noch. Der Platz war 1917 von Charles Blair Macdonald gebaut worden und hatte viele hervorragende Bahnen, die schönste die 18. Der Plan für diese letzte Bahn stammte vom jungen Alister Mackenzie, der an einem Wettbewerb des britischen Magazins *Country Life* zur Gestaltung eines Par 4 teilgenommen hatte.

Bernard Darwin, der größte Golfjournalist des frühen 20. Jh., schrieb 1922 in einem Artikel über den Lido für das Magazin *American Golfer,* dass der Platz einer der schönsten der Welt sei und man ihn nur wegen des besonders tückischen Roughs kritisieren könnte.

Baltusrol, 18. Grün und Clubhaus.

21 **Auf wie vielen Plätzen wurden die US Open bisher ausgetragen?** Zwischen 1895 und 2002 auf sage und schreibe 49 Plätzen, wobei Oakmont und Baltusrol je siebenmal die Ehre hatten.

Auf dem Platz von Oakmont in Pennsylvania fand das Turnier erstmals 1927 statt, und damals besiegte Tommy Armour Harry Cooper um drei Schläge in einem Play-off über 18 Löcher. 1994 gewann Ernie Els gegen Colin Montgomerie und Loren Roberts ebenfalls in einem Play-off. Die US Open haben 2007 erneut in Oakmont stattgefunden.

Bei den ersten US Open in Baltusrol im Jahr 1903 gewann Willie Anderson zum dritten Mal nacheinander. 1993, als das Turnier zum letzten Mal hier Station machte, gewann Lee Janzen nach vier Runden mit Scores von jeweils unter 70.

22   Welcher Platz gilt als der älteste der Welt?

Der Old Course in St Andrews ist zweifellos sehr alt, doch wer wollte schon sagen, ob er in seiner heutigen Form auch der Platz ist, den es schon am längsten gibt?

Man weiß, dass in St Andrews schon 1552 Golf gespielt wurde, doch gab es den Platz damals schon in der jetzigen Form? Gab es nicht schon vorher einen Platz in Leith, oder waren die ersten sieben Bahnen von Musselburgh nicht schon früher da?

Die Spieler von Musselburgh sind jedenfalls dieser Meinung. Die Website des Clubs (www.musselburgholdlinks.co.uk) wird jedenfalls von der Zeile „Musselburgh, the World's Oldest Playing Golf Course" dominiert. Die British Open wurden zwischen 1874 und 1892 siebenmal dort ausgetragen, das letzte Mal schon über vier Runden. Heute handelt es sich um einen Platz mit neun Bahnen innerhalb einer Pferderennbahn, und jeder kann gegen eine Greenfee von ca. 15 Euro dort spielen und sich Hickoryschläger leihen.

Musselburgh Old Links in Schottland.

23 ▸ Wie beurteilt man die Qualität eines Golfplatzes? Das ist im Prinzip Geschmackssache.

Manche mögen Linksplätze, andere finden sie hässlich. Manche spielen gerne auf Wüstenplätzen, andere haben lieber mehr Grün um sich. Doch die Tatsache, dass einige Plätze immer wieder in den Bestenlisten auftauchen, zeigt, dass es bestimmte Qualitätskriterien geben muss. Wenn Golfmagazine offizielle Ranglisten veröffentlichen, haben sie sich vorher den Rat eines Expertenteams aus Spielern, Golfplatzarchitekten, Journalisten und Greenkeepern geholt, die sich mit folgenden Fragen beschäftigen:

■ Lage und Umgebung: Fühlt man sich auf dem Platz einen ganzen Tag wohl?

■ Natürliche Landschaft: Sieht der Platz natürlich oder künstlich aus?

■ Gestaltung: Verlangen die Bahnen Strategie und Taktik, oder sind sie fade?

■ Distanzen: Lange Wege zwischen den Grüns und den Abschlägen?

■ Historische Bedeutung: Hatte der Platz Einfluss auf Golfplatzarchitekten? Wurden dort schon wichtige Turniere ausgetragen?

■ Zustand: Ist der Zustand gut, oder sind die Grüns uneben und die Bunker nicht gut gepflegt?

Mit diesen Fragen kann man einen Platz gut beurteilen, aber nicht unbedingt auf den eigenen Lieblingsplatz schließen. Meine bevorzugten Plätze zu beiden Seiten des Atlantiks – Presidio in San Franciso und St Enodoc in Cornwall – würden bei kaum einem Golfmagazin einen unter den besten 200 Plätzen belegen.

24 Wieso ist Golf in Japan so populär?

Der Golfsport kam mit dem englischen Teehändler Arthur Hesketh Groom nach Japan. Er siedelte sich im Hafen von Kobe an, wo er seinem liebsten Zeitvertreib nachging – Jagen, Schießen und Fischen. 1900 begann er mit dem Bau von Golfbahnen auf einem kleinen Plateau auf dem Mount Rokko, die 1901 fertig wurden. Der Bürgermeister von Kobe und der britische Konsul waren Ehrengäste bei der Eröffnung. 1903 gab es schon neun Bahnen, vier Jahre später existierte ein 18-Loch-Platz. Der Japaner Shotaro Kokura wurde zum ersten Golfspieler seines Landes, als er von Groom zu einer Runde auf diesem Platz eingeladen wurde.

Der erste öffentliche Golfplatz in Japan, Unzen, wurde 1913 fertig, und der von Charles Alison gestaltete Club in Tokio – der erste gute Platz in Japan – eröffnete im Jahr darauf. Golf blieb ein Nischensport, bis Japan 1957 den Canada Cup ausrichten durfte (heute der World Cup of Golf), denn es gab nur 79 Plätze und weniger als 1 Mio. Spieler. Als jedoch Torakichi Nakamura und Koichi Ono das amerikanische Favoritenteam Jimmy Demaret und Sam Snead auf dem Platz in Kasumigaseki um neun Schläge hinter sich ließen, wurde eine Golfrevolution im Lande ausgelöst.

„Arisons"

Charles Alison, der frühere Partner von Harry Colt, kam Anfang des 20. Jh. nach Japan und war am Bau zweier hervorragender Plätze beteiligt: Hirono und Kasumigaseki, der ursprünglich vom japanischen Bankier Kinya Fujita geplant worden war, der sich durch Alisons Arbeit im Club von Tokio inspirieren ließ. Fujita reiste 1919 nach Großbritannien, um beim englischen Meister zu lernen und ging dann nach Japan zurück und baute seinen Traumplatz.

Alison ergänzte das ursprüngliche Design von Fujita um einige tiefe Bunker. Solche Bunker hatten die Japaner noch nie zuvor gesehen und nannten sie „Alisons" – japanisch ausgesprochen „Arisons". Hirono, ein Platz der sehr stark an Pinehurst und Sunningdale erinnert, wurde 1930 mit vielen „Arisons" gebaut.

Die meisten der 10 Mio. japanischen Golfer spielen nur auf einer Driving Range wie hier in Tokio.

Mitte der 1980er-Jahre gab es 1000 Plätze, 20 Jahre später waren es schon 4000 – viel zu wenig für die über 10 Mio. japanischen Golfer. Diese hohe Nachfrage bringt es mit sich, dass man für die Mitgliedschaft in einem Golfclub bis zu 2 Mio. $ bezahlen muss und dass viele Golfer nie auf einem echten Platz, sondern nur auf der Driving Range spielen können.

25 **Was bedeutet „Par"?** Unter „Par" versteht man die Anzahl der Schläge, die ein guter Golfer für die jeweilige Bahn maximal benötigen sollte, wobei immer zwei Putts eingerechnet sind. Welches Par eine Bahn hat, hängt meist von ihrer Länge ab, doch gerade bei Profiturnieren geht man dazu über, das Par je nach Schwierigkeitsgrad festzulegen, um zu verhindern, dass immer mehr Turniersiege mit 20 bis 25 Schlägen unter Par errungen werden.

Früher waren Bahnen unter 230 m ein Par 3, solche zwischen 230 und 435 m ein Par 4 und längere Bahnen ein Par 5. Heute gibt es viele Par-3-Bahnen, die länger als 230 m sind, und auch viele Par-4-Bahnen, die länger als 435 m sind.

Auf dem Augusta National sind sowohl Bahn 10 als auch Bahn 11 deutlich länger als 435 m, trotzdem sind beide als Par 4 eingestuft, weil sie bergab verlaufen und das Grün mit einem guten Drive und einem mittleren oder kurzen Eisen in zwei Schlägen zu erreichen ist.

26 **Woher kommt die Bezeichnung „Birdie"?** Ein Birdie ist ein Schlag unter Par an einem Loch. Angeblich wurde der Begriff 1898 von einem gewissen Ab Smith im Atlantic City Country Club in New Jersey geprägt. Er hatte zugesehen, wie einem Mitspieler ein fantastischer Annäherungsschlag gelang, und ausgerufen: „That was a bird of a shot." Der Mitspieler beendete die Bahn mit einem Schlag unter Par – was fortan als Birdie bezeichnet wurde.

27 **Was kostet das teuerste Greenfee?** Als Greenfee bezeichnet man die Summe, die ein Gastspieler für eine Golfrunde bezahlen muss. In vielen privaten und öffentlichen Clubs sind solche Spieler gern gesehen, und mit ihrer Greenfee werden sie sozusagen Clubmitglied für eine Runde bzw. einen Tag.

In den USA verlangen öffentliche Plätze zwischen 30 und 40 $ pro Runde, private Plätze sind manchmal so teuer, dass man sie sich nur einmal im Leben leistet. Um Pebble Beach zu spielen, musste man 2001 350 $ auf den Tisch legen, und um eine Runde auf dem von Tom Fazio gestalteten Shadow Creek in Las Vegas gehen zu dürfen, musste man 500 $ hinblättern – damals wahrscheinlich das teuerste Greenfee der Welt.

In Großbritannien sind Greenfees meist preiswerter, sie reichen von etwa 5 £ für abgelegene Plätze wie Harris und Eriksay auf den Inseln vor dem Westen Schottlands bis hin zu über 200 £ für eine Runde auf dem beeindruckenden West Course in Wentworth. Öffentliche Plätze sind zwischen 10 und 20 £ bespielbar, während im Sommer 2001 eine Runde auf den Old Course von St Andrews etwa 85 £ kostete – viel Geld für die meisten Briten, doch für amerikanische und japanische Besucher ein Schnäppchen.

Andere Bezeichnungen	
Ass, Hole-in-One	Einlochen mit einem Schlag
Double eagle, Albatros	Drei unter Par an einem Loch
Eagle	Zwei unter Par
Birdie	Eins unter Par
Bogey	Eins über Par
Double bogey	Zwei über Par

28 **Auf welchem Platz wurden die meisten Majors ausgetragen?** Auf dem Augusta National in Georgia, denn dort wird das Masters seit seiner Einführung 1934 immer ausgetragen – allein im 20. Jh. 67-mal.

Danach kommt der Old Course in St Andrews, auf dem 1873 zum ersten Mal die British Open stattfanden, die 2000 zum 26. Mal dort ausgetragen wurden. Prestwick liegt mit 24 Major-Turnieren knapp dahinter, doch die Lücke wird in Zukunft größer werden, denn dort machten die British Open zum letzten Mal 1925 Station, während in St Andrews wohl auch in Zukunft das Turnier alle paar Jahre stattfinden wird.

In den USA wurden auf dem Platz von Oakmont in Pennsylvania auch bereits zehn Major-Turniere ausgetragen – siebenmal die US Open und drei USPGA-Meisterschaften.

Augusta National während des Masters 1992.

29 **Wo liegen der nörd-
lichste und der süd-
lichste Platz der Welt?** Der R&A
erkennt den Akureyi Club (Golfklubber
Akureyrar) offiziell als nördlichsten Club der
Welt an. Er liegt auf dem 65. nördlichen
Breitengrad an der Nordküste Islands, wurde
1935 gebaut, hat 18 Löcher und eine Gesamtlänge von 5783 m. Jedes Jahr Ende Juni findet
dort die Arctic Open statt, an der sich Golfer
mit einem Handicap von mindestens 24 und
Golferinnen mit einem Handicap von mindestens 28 gegen eine Startgebühr von 300 $
beteiligen können.

Der Scott Base Country Club in der Ant-
arktis auf dem 77. südlichen Breitengrad ist der
südlichste Club. Der Platz ist ständig mit
Schnee bedeckt, wodurch die Spieler gezwungen sind, mit orangefarbenen Bällen zu
spielen. Zu den örtlichen Hindernissen zählen
Seehunde, Pinguine und Skuas (große
Seevögel).

30 **Was bedeuten die unterschiedlichen Farben der Abschlagmarkierungen?** Jede Bahn hat mehrere Abschlagbereiche. In den USA gibt es meist drei verschiedene Markierungen: blaue oder schwarze für den Profiabschlag, weiße für Clubspieler und rote für Damen. In Großbritannien kennzeichnen weiße Markierungen dagegen den Turnierabschlag, gelbe den Abschlag für Privatrunden, und auch hier spielen Damen vom roten Abschlag. Auf manchen Resortplätzen in den USA findet man bis zu sechs verschiedene Abschlagzonen, sodass jeder Spieler selbst entscheiden kann, wie schwierig er seine Runde gestalten will.

31 **Wie sieht die Hierarchie in einem typischen Golfclub aus?** In britischen Privatclubs ist die Galionsfigur oft der President, meist ein langjähriges Clubmitglied, das vorher schon verschiedene Funktionen erfüllt bzw. Posten eingenommen hat. Danach kommt der Chairman, der den unterschiedlichen Ausschüssen vorsteht, der Vice-Chairman und der Captain, der jedes Jahr neu gewählt wird. In den meisten Clubs gibt es auch einen Treasurer und einen Secretary, die beide den täglichen Betrieb des Clubs organisieren.

Üblicherweise gibt es fünf Ausschüsse, die sich mit unterschiedlichen Themen beschäftigen: Handicap, Turniere, Clubhaus, Platzpflege und Mitgliedschaften. In Großbritannien ist diese Clubhierarchie fest etabliert. In den USA ist sie vielleicht sogar noch etwas ausgeprägter, denn dort gibt es in vielen Clubs noch zusätzliche Funktionen. Am häufigsten findet man in amerikanischen Clubs an erster Stelle einen President oder einen Chairman of the Board of Directors, danach kommen, wie in den britischen Clubs, ein Vice-President, ein Secretary und ein Treasurer.

Golf hat in den deutschsprachigen Ländern nicht die lange Tradition wie in Großbritannien und den USA, deshalb sind Hierarchien auch weniger streng geregelt und nicht direkt vergleichbar.

32 Auf welchen besonders langen Plätzen wurden die Majors ausgetragen?

US Open: Der längste Platz, auf dem dieses Turnier stattfand, ist der Black Course im Bethpage State Park, der 2002 mit einer Länge von 7214 Yards gespielt wurde. Dieser öffentliche Platz, der 1936 von A.W. Tillinghast und Joseph Burbank gebaut wurde, war ein Yard länger als der Blue Course im Congressional Golf Club, in dem das Turnier 1997 ausgetragen wurde.

British Open: 1999 bot Carnoustie nicht nur tückisches Rough und enge Fairways, sondern auch die Rekordlänge von 7361 Yards – der Schotte Paul Lawrie kam am besten damit zurecht.

USPGA: 1967 wurde die Meisterschaft im Columbine Country Club in Denver über eine Länge von 7436 Yards ausgetragen, doch der Platz spielte sich nicht wirklich so lange, weil die Luft in Denver deutlich dünner ist als auf Meereshöhe. Es gewann Don January gegen Don Massingale im Play-off, nachdem beide ihre Runden mit 281 Schlägen beendet hatten.

Masters: 2001 wurde im Augusta National über 6985 Yard gespielt, 2002 wurde der Platz auf 7270 Yard verlängert. Es gewann Tiger Woods mit einem Score von 276, zwölf Schläge unter Par.

Das schwierige 18. Loch in Carnoustie.

33 Wie lang ist die längste Spielbahn Welt?

Viele Golfplatzbetreiber versuchen ihren Platz mit extrem langen Bahnen von anderen abzuheben. Seit 2002 gibt es die Bahn von Chocolay Downs in Michigan. Mit 921 m ist sie um 39 m länger als Bahn 5 im japanischen Satsuki und verdrängt Bahn 12 von Meadows Farms, Virginia, ein Par 6 mit 769 m, auf den zweiten Platz in den USA.

Ist Ihnen das noch zu leicht? Dann spielen Sie doch einmal den Pines Course im International Golf Club in Boston, Massachusetts, der mit 7612 m und einem Par von 77 der längste Platz der Welt ist. Er wurde 1957 von Geoffrey Cornish angelegt und später von Robert Trent Jones umgebaut. Heute hat er einen Slope von 154.

34 Welche Arten von Golfclubs gibt es in den USA und Großbritannien? In den USA hat die

PGA of America folgende sieben Kategorien festgelegt:

■ Privat, im Besitz der Mitglieder
■ Privat, profitorientiert
■ Halbprivat, im Besitz der Mitglieder
■ Halbprivat, profitorientiert
■ Resort
■ Öffentlich, im Besitz der Stadt, einer Universität, des Militärs
■ Öffentlich, profitorientiert

In Großbritannien gibt es nur drei Kategorien:

■ Öffentlich (im Besitz der Stadt bzw. Gemeinde, allgemein zugänglich)
■ Privat (im Besitz der Clubmitglieder)
■ Halbprivat (im Besitz einer Firma/eines Konsortiums, profitorientiert, oft als „Pay-and-Play-Course" bezeichnet)

35 Welcher Platz war der schwierigste, auf dem in letzter Zeit ein Major stattfand?

Carnoustie, wo 1999 die British Open ausgetragen wurden, war zweifellos der schwierigste Turnierplatz. Das Turnier war seit 1975 nicht mehr dort, da die Stadt für ein Event dieser Größe nicht gerüstet war – es gab nur wenige Hotels, darunter kaum wirklich gute. Doch die Spieler kannten den Ruf und die Qualität des Platzes und wollten unbedingt zurückkehren. Sie hatten sich das Turnier aber sicher ganz anders vorgestellt.

Nach einem milden, nassen Frühling war das Rough außer Kontrolle geraten, war bis auf eine Höhe von etwa 30 cm gewachsen und nahm die nur etwa 18 bis 23 m breiten Fairways regelrecht in die Zange. Die Grüns waren hart und schnell, das Wetter so unangenehm wie nur möglich.

Der Waliser Ian Woosnam sagte vor dem Turnier, dass wohl alle Spieler ziemlich dumm aussehen würden, wenn es heftigen Wind gäbe. Der frühere Champion Sandy Lyle bezeichnete den Platz als „böse" und der Südafrikaner Ernie Els sagte, er habe noch nie ein solches Rough gesehen. Manche wetteten, dass der Score des Siegers über 300 liegen würde.

Nach der ersten Runde, die der beliebte Spanier Sergio Garcia mit 18 über Par abschloss, kritisierten viele Spieler, dass der Platz zu schwer gemacht worden sei. „Die sind zu weit gegangen", sagte Els. Die Amerikaner Tom Watson und Lee Janzen waren sich einig, dass sie noch nie einen schwierigeren Platz gespielt hätten – und sagten dies auch ganz verbittert.

Sieger des Turniers wurde nach einem Play-off über vier Bahnen der Schotte Paul Lawrie, der Jean Van de Velde und Justin Leonard besiegte. Sein Score von 290, sechs über Par, war das höchste Endergebnis seit 1947, als Fred Daly in Hoylake mit 293 Schlägen gewann.

36 Wer gilt als der größte Golfplatzarchitekt?

Eigentlich Mutter Natur; unter den Menschen sind wohl Harry Colt und sein Mitarbeiter Alister Mackenzie die besten Kandidaten für diesen Titel.

Colt baute mit erst 25 Jahren den herrlichen Platz in Rye in East Sussex (England). Später gestaltete er das Design von Willie Park in Sunningdale um und baute Stoke Poges, Swinley Forest und St George's Hill, drei der besten Plätze im Süden Englands. 1912 erhielt er vom R&A den Auftrag für die Gestaltung des Eden Course in St Andrews, und 1913 lud ihn George Crump ein, gemeinsam mit ihm den Platz von Pine Valley in den USA zu bauen. Er war außerdem am Umbau von Muirfield beteiligt, gestaltete den East und den West Course in Wentworth und baute Puerto de Hierro in Spanien, Le Touquet in Frankreich und zwei Plätze in Frankfurt und Hamburg. Während seiner Aufenthalte in den USA arbeitete er mit an Sea Island in Georgia, dem Country Club of Detroit und Burning Bush in der Nähe von Washington, D.C. Er war der Erste, der Plätze auch außerhalb seines Heimatlands anlegte und auch viele Bäume pflanzte.

Fans des Augusta National, Cypress Point, Crystal Down, Pasatiempo, Royal Melbourne und Kingston Heath könnten aber zu Recht behaupten, dass Alister

Kein Problem für Trent Jones

Robert Trent Jones Sr. demonstrierte sein gestalterisches Genie auch ganz gerne in der Praxis. Beim Umbau des Lower Course in Baltusrol für die US Open 1954 machte er aus der 4. Bahn ein 177 m langes Par 3 über Wasser. Die USGA hielt dieses Loch für zu schwer, und so entschlossen sich der USGA-Vertreter C.P. Burgess, der Pro des Clubs und Trent Jones selbst, diese Bahn zu spielen, um die Schwierigkeit besser einschätzen zu können. Trent Jones nahm ein Eisen 5, schlug den Ball ab und sah zu, wie er direkt ins Loch rollte. Danach drehte er sich um und sagte: „Meine Herren, Sie sehen selbst, dass das Loch sehr fair ist."

Mackenzie ein noch besserer Golfplatzarchitekt war, denn er baute mehr Plätze, die zu den 50 besten der Welt gezählt werden, als jeder andere. Auch A.W. Tillinghast sollte erwähnt werden, der u.a. die Plätze Baltusrol, Winged Foot, Bethpage Black und den San Francisco Country Club gebaut hat. Donald Ross gestaltete über 500 Plätze in den USA. Sein bester, Pinehurst No. 2, erhielt endlich die ihm gebührende Aufmerksamkeit, als dort 1999 die US Open ausgetragen wurden. Er war auch beteiligt an den Plätzen Inverness, Scioto, Seminole, Oakland Hills und Oak Hill – und alle wurden beeinflusst von seinem Heimatplatz Royal Dornoch in Schottland.

In jüngster Zeit wurden viele der besten und schwierigsten Plätze in den USA von drei Mitgliedern derselben Familie gebaut: Robert Trent Jones Sr., Robert Trent Jones Jr. und Rees Lee Jones. Pete Dye wurde in den 1970er- und 1980er-Jahre bekannt für seine spektakulären, aber sehr schwierigen Plätze, z.B. den TPC at Sawgrass, und Jack Nicklaus hat mit seinem Meisterwerk Muirfield Village in Ohio 1974 bewiesen, dass große Golfspieler auch große Golfplatzarchitekten werden können. Nicklaus hat an über 200 Plätzen mitgearbeitet; er ist einer von nur zwei Stars der US-Tour, die aufgrund ihrer Ausbildung in die Society of Golf Course Architects of America aufgenommen wurden.

Auch Tom Weiskopf ist vom Spieler zum Golfplatzarchitekten geworden und hat seine Klasse mit Troon North in Arizona und Loch Lomond in Schottland bewiesen. Als herausragender Designer gilt auch Tom Fazio, Neffe des Tour-Stars George Fazio aus den 1950er-Jahren und Erbauer von World Woods, Wade Hampton, Black Diamond Ranch, Pablo Creek und dem unglaublichen Shadow Creek in Nevada, für den er ein Budget von 40 Mio. $ zur Verfügung hatte.

37 **Welcher Golfclub ist der exklusivste der Welt?** Exklusivität lässt sich nur schwer messen. Die meisten würden wohl sagen, es ist der Augusta National. Nur etwa 300 Mitglieder (dazu die Sieger des Masters) dürfen das berühmte grüne Jackett tragen. Die Mitglieder sind überwiegend Milliardäre, denen die Mitgliedschaft angeboten wurde – einen Aufnahmeantrag gibt es für Augusta nicht. Gegen Greenfee kann man nur in anderen Clubs spielen, also machen Sie sich gar nicht erst die Mühe, darauf zu sparen. Ohne Einladung kommen Sie nicht auf den Platz.

Es gibt auf der ganzen Welt noch viele andere Clubs, in denen auch nur Mitglieder und ihre Gäste spielen dürfen. Mitglied im Bel-Air Country Club in Los Angeles oder in Cypress Point zu werden ist auch besonders schwierig. Der exklusivste Club in Großbritannien ist wohl der R&A in St Andrews, in dem fast nur Royals, Adelige, Staatsmänner und andere hochrangige Persönlichkeiten Mitglied sind. Ähnlich ist es bei der Honourable Company of Edinburgh Golfers in Muirfield, Royal Troon, Loch Lomond und Sunningdale. Der Duke of York ist Mitglied in Swinley Forest, 30 Meilen westlich von London, einem Club, der auch nur für die wenigsten Golfer zugänglich ist.

38 — Auf welchem Platz haben die Spielbahnen die schönsten Namen?

Auf welchem Platz haben die Spielbahnen die schönsten Namen? Die Sitte, jeder Bahn einen eigenen Namen zu geben war in Schottland zum Ende des 19. Jh. weit verbreitet. Viele Namen waren von der Landschaft abgeleitet oder von Pflanzen bzw. Sehenswürdigkeiten der Umgebung.

Bahn 8 in Royal Troon in Schottland – bekannt als „Postage Stamp" (Briefmarke) – wurde so genannt, weil das Grün winzig ist und der Abschlag sehr genau sein muss. Die Bahn ist mit nur 115 m eine der kürzesten je bei einer der British Open gespielten Bahnen. Auch Bahn 4 auf dem Old Course von St Andrews hat einen besonderen Namen – „Ginger Beer" (Ingwerbier) –, weil dort in den 1880er-Jahren Old Daw Anderson einen kleinen Stand mit Getränkeverkauf betrieb.

Der Platz mit den faszinierendsten Namen ist wohl Turnberry an der Westküste Schottlands. Er wurde 1906 von Willie Fernie gebaut und diente während der beiden Weltkriege als Fluglandeplatz, ehe er von Philip Mackenzie Ross 1951 wieder in einen Golfplatz verwandelt wurde.

Auf vielen älteren Plätzen in den USA, die von schottischen Einwanderern gebaut wurden,

Berühmte Namen

Turnberry	Augusta National
1. Ailsa Craig	1. Tea Olive
2. Mak Siccar	2. Pink Dogwood
3. Blaw Wearie	3. Flowering Peach
4. Woe-be-tide	4. Flowering Crab Apple
5. Fin' me oot	5. Magnolia
6. Tappie Toorie	6. Juniper
7. Roon the Ben	7. Pampas
8. Goat Fell	8. Yellow Jasmine
9. Bruce's Castle	9. Carolina Cherry
10. Dinna Fouter	10. Camellia
11. Maidens	11. White Dogwood
12. Monument	12. Golden Bell
13. Tickly Tap	13. Azalea
14. Risk and Hope	14. Chinese Fir
15. Ca Canny	15. Firethorn
16. Wee Burn	16. Redbud
17. Land Wang	17. Nandina
18. Ailsa Hame	18. Holly

Weiter auf der nächsten Seite

tragen die Bahnen auch Namen. Im Palmetto Golf Club in South Carolina sind die meisten Namen von der Landschaft abgeleitet: Valley (6.), Ridge (7.), Drop (11.), Pond (12.) und High (15.), doch auch zwei „fremde" Bezeichnungen haben sich eingeschlichen: Southern Cross (3.) und Brae (17. Bahn). Die Namen in Shinnecock Hills auf Long Island sind indianisch-schottisch: Man spielt die Bahnen Peconic (3.), Montauk (5.), Tuckahoe (12.), Sebonac (15.) und Shinnecock (16.) sowie Redan (7.), Ben Nevis (9.) und Eden (17. Bahn).

Jede der 18 Bahnen des Augusta National ist nach blühenden Büschen benannt, die entlang der Fairways wachsen (siehe S. 57). Louis Alphonse Berckmans, Sohn des Landbesitzers, pflanzte zusammen mit Bobby Jones und Clifford Roberts an jeder Bahn den Busch, nachdem sie benannt ist. Er selbst legte fest, wo die Pflanzen stehen sollten, und wurde Ehrenmitglied des Clubs. Man schätzt, dass über 80 000 Pflanzen aus über 350 Spezies seit Eröffnung des Clubs dort gepflanzt wurden.

Dinna Fouter, die 10. Spielbahn auf dem Ailsa Course von Turnberry.

39 **Gibt es eine Standardgrassorte für Golfplätze?** In den USA findet man auf den Golfplätzen meist Bent- und Bermudagras. Bent ist feiner und eignet sich eher für das Klima im Norden, während Bermuda die heißen Temperaturen des amerikanischen Südens liebt.

Eine weit verbreitete Bentsorte ist PenCross, die speziell für Golfplätze gezüchtet wurde und sehr glatte, schnelle Grüns möglich macht. Viele neue Grüns, die mit Bermudagras angelegt werden, verwenden die Sorte Tifdwarf, die man besonders kurz schneiden kann. Da Bermudagras im Winter nicht wächst, wird meistens Ryegras und Poa trivialis darübergesät, um die grüne Farbe zu erhalten. Grüns mit Bentgras sind meist besser als solche mit Bermudagras, und deshalb hat man auch im Augusta National 1980 die Grassorte gewechselt. Die ohnehin schnellen Grüns wurden dadurch noch schneller.

Ein Großteil der Forschung wird von der Green Section der USGA finanziert, die zwischen 1983 und 2001 über 20 Mio. $ in die Forschung investierte, um herauszufinden, wie man mit weniger Wasser und Pestiziden auskommen kann. Dies führte zur Verwendung umweltfreundlicherer und „grünerer" Grassorten.

In Großbritannien findet man auf fast allen Inlandsplätzen breithalmige Wiesengräser, während auf den meisten Links- und Heideplätzen die kurzhalmige, robuste Sorte Festuca verwendet wird, die wenig Pflege erfordert.

40 Wie hat sich die Golfplatzarchitektur entwickelt?

Anfänge Die ersten Golfplätze haben sich aus der Natur entwickelt. Die Dünen an Schottlands Küsten waren für das Spiel bestens geeignet, die Entwässerung war optimal, und die natürlichen Hügel machten es überflüssig, mit Bulldozern künstliche Landschaften zu gestalten. Man musste nur die Abschläge etwas einebnen, einige Schafe loslassen, die das Gras kurz hielten, 18 kleine Löcher graben, und schon konnte es losgehen.

Ende des 19. Jh. wollten Golfer jedoch nicht jahrelang warten. Man beauftragte Golfspieler und Greenkeeper mit dem Bau von Plätzen. Einer der Ersten war Tom Morris Sr., der die ursprünglichen Bahnen in Muirfield (Schottland), Royal North Devon (England) sowie Royal County Down und Lahinch (Irland) anlegte. Er richtete sich nach der natürlichen Topografie, baute aber nicht die üblichen neun Bahnen in eine Richtung und neun Bahnen zurück, sondern bevorzugte zwei Rundkurse, sodass es bei seinen Plätzen meist zwei mögliche erste Abschläge gab: an Bahn 1 und 10.

Als immer weniger Dünenlandschaften zur Verfügung standen, begann man auch im Landesinneren Plätze zu bauen. Plötzlich hatten die Designer nur flaches, langweiliges Land zur Verfügung, bei dem die Entwässerung schlecht war und das Gras ungeeignet. Die ersten Inlandsplätze in Großbritannien glichen öden, mit Pfützen überzogenen Ziegenweiden.

Doch bald erkannte man, dass sich Lehmböden nicht für Golfplätze eigneten und konzentrierte sich auf die sandigen Böden im Süden und Westen von London. Hier entstanden hervorragende Inlandsplätze, z.B. Sunningdale, Coombe Hill und Wentworth. Auch Topspieler jener Zeit bauten Golfplätze, darunter James Braid (Gleneagles und Blairgowrie),

Weiter auf der nächsten Seite

J.H. Taylor (Umbau des Royal Birkdale) und Harry Vardon (Little Astor in der Nähe von Birmingham).

Amerikanische Wurzeln Gegen Ende des 19. Jh. gab es an die 1000 Golfplätze in den USA, von denen viele von Tom Bendelow gebaut wurden, der für die Firma A.G. Spalding Bros. als „Designberater" arbeitete. Sein Budget belief sich für die meisten Plätze auf 25 $, womit er gerade einmal einen Abschlag, einen Fairwaybunker etwa 100 m dahinter sowie ein kleines, rundes Grün anlegen konnte. Mit seinen Plätzen wollte er möglichst vielen Menschen die Gelegenheit zum Golfspiel geben.

Der erste herausragende Platz in den USA, Shinnecock Hills, wurde 1891 von Willie Dunn gebaut. Bald darauf folgten Myopia Hunt bei Boston, Garden City auf Long Island und der Chicago Golf Club. Charles Blair Macdonald, der den Platz in Chicago gestaltet hatte, wollte als Nächstes einen echten Linkscourse bauen und wählte dafür eine Fläche von 83 ha neben Shinnecock Hills. Dieser neue Platz, National Golf Links, wurde 1909 mit großer Begeisterung von den Spielern aufgenommen.

Der von Henry und William Fownes gebaute Oakmont in der Nähe von Pittsburgh läutete die Ära der extrem schweren Plätze ein. Sie waren der Meinung, dass schlechte Schläge auch so hart wie möglich bestraft werden sollten. George Crump aus Philadelphia trieb einige Jahre später diese Ansicht mit Pine Valley auf die Spitze.

Drei weitere Experten bauten in jener Zeit Golfplätze im ganzen Land. Albert Tillinghast gestaltete den San Francisco GC im Westen sowie Winged Foot, Baltusrol, Five Farms und Ridgewood im Osten; George Thomas baute Riviera und den North und South Course im Los Angeles Country Club; und Hugh Wilson errichtete auf einer Fläche von nur 51 ha den Weltklasseplatz Merion in Ardmore – in der Nähe von Philadelphia.

Auch Jack Neville und Douglas Grant verstanden sich auf den Bau guter Plätze und lieferten ihr Meisterwerk 1919 auf der Monterey-Halbinsel in Kalifornien ab: Pebble Beach.

Strategisches Design Die extrem schweren Plätze kamen Ende der 1920er-Jahre wieder aus der Mode, als die Familie Tufts den Schotten Donald Ross damit beauftragte, in ihrem Country Club in Pinehurst in North Carolina fünf Golfplätze zu bauen. Der 1925 eröffnete Course No. 2 brachte Ross den Ruf des besten Golfplatzdesigners in den USA ein. Sein strategisches Design eröffnet dem Spieler vom Abschlag aus mehrere Möglichkeiten, und nicht immer ist sofort ersichtlich, welcher Weg der bessere ist. Ross legte die Grüns etwas höher an, so wie in seinem schotti- schen Heimatclub Royal Dornoch und machte dadurch die Annäherung und das kurze Spiel besonders wichtig. Ross war wohl der erste Golfplatz- bauer, der von seiner Kunst leben konnte. Bis zu seinem Tod im Jahr 1948 hatte er um die 600 Plätze gebaut, von denen einige Klassiker wurden.

Ein weiterer Schotte, der in den USA großen Einfluss hatte, war Dr. Alister Mackenzie, dessen hervorragende Arbeit in Cypress Point Bobby Jones dazu brachte, ihn zum Kodesigner für den Augusta National zu berufen. Wenn je ein Platz das strategische Design perfektionierte, dann dieser. Mit seinen breiten Fairways, kurzem Rough, wenigen Bunkern und großen Grüns erscheint Augusta relativ simpel – doch die Grüns sind sehr wellig und pfeilschnell, also muss die Annäherung perfekt gelingen, um eine realistische Birdiechance zu haben; der Drive zuvor muss aber auch schon optimal platziert werden, sonst kann die Annäherung nicht gelin- gen. Genau deshalb hat Jack Nicklaus, der das taktische Spiel perfekt beherrschte, das Masters sechsmal gewonnen. Der Augusta National ist

Weiter auf der nächsten Seite

nicht nur schwer, er ist auch wunderschön: blü-
hende Büsche, geschickt platzierte Wasserhindernisse, perfekter Zustand. Damit wurden künstlich
angelegte Hindernisse bald zur Regel.

Trends nach dem Krieg Die wirtschaftliche
Depression in den USA führte dazu, dass immer
weniger Plätze gebaut wurden. Perry Maxwell
stemmte sich gegen den Trend mit den Plätzen
Colonial Country Club, Prairie Dunes und
Southern Hills. Doch die Industrie boomte erst
wieder nach dem Krieg. Am meisten profitierte
von diesem Boom Robert Trent Jones.

Trent Jones stellte sich an der Cornell University seinen eigenen Lehrplan für die Golfplatz-
architektur zusammen und baute im Lauf der Zeit
über 500 Plätze in fast 30 Ländern, z.B. Peachtree
in Georgia zusammen mit Bobby Jones. Er war
außerdem am Umbau von Oakland Hills, Baltusrol
und dem Augusta National beteiligt. Auch in
Resorts baute er bekannte Plätze, z.B. Dorado
Beach in Puerto Rico, Mauna Kea in Hawaii und
Cotton Bay auf den Bahamas. Gleich neben dem
ersten Platz im irischen Ballybunion legte er

Weiter auf der nächsten Seite

Ein teuflischer Bunker an Loch 3 in Oakmont.

außerdem einen weltberühmten Linkscourse an. Die Plätze von Trent Jones sind schön anzusehen und begünstigen riskante Schläge. Viele Bahnen bieten mehrere Möglichkeiten, wobei die besten Routen den mutigsten Spielern vorbehalten sind.

Modernes Design Als sich Trent Jones zurückzog, traten neue amerikanische Golfplatzarchitekten auf den Plan, die den Boom in den 1980er- und 1990er-Jahren vorantrieben. Arnold Palmer, Jack Nicklaus und Tom Weiskopf waren als Designer ebenso erfolgreich wie als Spieler. Der von Nicklaus gebaute Platz Desert Highlands in Scottsdale in Arizona führte in den USA das Konzept des „Präzisionsgolf" ein, und Weiskopf machte sich einen Namen für seine schönen, aber taktisch anspruchsvollen Plätze.

In Großbritannien war die Lage nicht annähernd so gut. Philip Mackenzie Ross baute den Flugzeuglandeplatz in Turnberry in einen hervorragenden Linkscourse um, doch gute neue Plätze gab es erst, als in den 1970er-Jahren The Belfry, St Pierre, Woburn und Southerness gebaut wurden. Danach schwappte der Boom aus den USA auch über den großen Teich. Designer wie Nicklaus, Palmer und Trent Jones bauten zahlreiche Plätze im amerikanischen Stil – darunter London Club, Wisley, K Club und St Mellion – mit unzähligen Wasserhindernissen, riesigen Bunkern und Grüns, die den Spezifikationen der USGA entsprachen.

Heute, nach Jahren umfangreicher Erdarbeiten, Überdüngung und Überwässerung, versuchen Architekten wie Gary Panks, Tom Doak und Keith Foster wieder zu den Wurzeln zurückzukehren. Keiner akzeptiert, dass täglich Millionen Liter Trinkwasser für die Bewässerung von Golfplätzen verschwendet werden oder dass empfindliche Ökosysteme zerstört werden, nur damit einige wenige ihrem Freizeitvergnügen nachgehen können. Die meisten Golfplatzarchitekten verzichten heute auf Bulldozer und arbeiten mit den natürlichen Gegebenheiten. Das wurde auch Zeit.

41 Was macht eigentlich ein Greenkeeper?

Sein Job ist es dafür zu sorgen, dass der Platz jederzeit möglichst gut bespielbar ist und die Platzpflege möglichst wenig kostet. Heute ist der Druck, den Platz in einem einwandfreien Zustand zu halten, so hoch wie nie. Clubmitglieder möchten das ganze Jahr über spielen, egal wie schlecht das Wetter ist oder wie die Voraussetzungen für das Pflanzenwachstum sind. Sie wollen harte, schnelle Grüns und Fairways ohne Divots. Und trotz der enormen Beanspruchung sollten am besten die Abschläge auch immer eben und grasbedeckt sein.

Der Head Greenkeeper hat deshalb besonders in exklusiven Clubs die fast unlösbare Aufgabe, die Grasflächen in einem optimalen Zustand zu halten (was wegen der unterschiedlichen Grassorten auf dem Platz besonders schwierig ist), alle Geräte zu warten, den Umweltschutz zu berücksichtigen und auf die Kosten zu achten. Außerdem ist es seine Aufgabe sicherzustellen, dass die Lage der Löcher und der Abschlagmarkierungen regelmäßig verändert wird, um die Abnutzung des Grüns und der Abschläge gleichmäßig zu gestalten.

Viele amerikanische Greenkeeper beschäftigen sich jahrelang mit den verschiedenen Grassorten, und viele absolvieren spezielle Studiengänge, die an einigen Universitäten angeboten werden, z.B. Rutgers in New Jersey, Michigan State, Oklahoma State und Penn State. In Großbritannien haben die Greenkeeper oft keine spezielle Ausbildung, sondern lernen ihr ganzes Leben lang im Job. Doch auch dort geht der Trend zu mehr Wissen, und heute bieten schon 26 britische Colleges Kurse im Greenkeeping an.

42 **Was versteht man unter „Strich"?** Der Strich, also die Richtung, in die die Grashalme auf dem Grün wachsen, kann die Linie eines Putts enorm beeinflussen. Die meisten Grüns auf den britischen und amerikanischen Plätzen sind so kurz gemäht und so gut gepflegt, dass ein Strich kaum erkennbar ist. Doch auf weniger gepflegten Plätzen mit Bermudagras sind die Halme manchmal relativ hoch, und der Strich wirkt sich auf die Putts aus. Einige Bent- und Bermudasorten haben mehr Strich als andere, bei manchen liegen die längeren Halme flach.

Bei Übertragungen im Fernsehen sprechen die Kommentatoren oft vom Strich, doch sie irren, denn die Grüns auf Turnierplätzen werden zweimal täglich gemäht und sind in einem außerordentlich guten Zustand. Der Chef der Green's Section der USGA, Jim Snow, bestätigt auch, dass weder die Sonnenscheindauer noch eventuelle Wasserhindernisse in der Nähe des Grüns einen Einfluss auf den Graswuchs haben, was manche Leute noch immer glauben.

Aufwärtsputten

Im Royal Harare Golf Club in Simbabwe spielt der Strich des Grüns eine große Rolle. Jeder Gastspieler sollte sich unbedingt einen Caddie mieten, denn fast alle Putts bergauf brechen in eine unerwartete Richtung. Der Platz liegt nur wenige Minuten von der Stadtmitte von Harare entfernt und gilt als einer der besten Plätze des Lands. Dieser Parklandcourse wurde 1898 gebaut, ist 7072 m lang und beheimatet viele Vogelarten.

43 Wie unterscheiden sich Clubhäuser in Amerika und Großbritannien?

Das Clubhaus ist der „Firmensitz" des Golfclubs, dort findet man das Büro des Managers bzw. Clubsekretärs, Räume für Clubveranstaltungen, eine Bar, ein Restaurant, Umkleideräume, meist auch einen Proshop.

Die Clubhäuser selbst unterscheiden sich nicht wirklich, doch die Atmosphäre ist oft sehr unterschiedlich. In Großbritannien sind besonders die älteren Clubhäuser sehr asketisch, manchmal ist ihr Zustand auch nicht besonders gut. Viele bieten nur das, was amerikanische Spieler als das absolute Minimum betrachten. Was sie aber alle haben, ist Charakter. Die riesigen Ehrentafeln und Porträts der Club Captains, die Gespräche im Flüsterton und die rigiden Kleidungsvorschriften wirken manchmal abschreckend. Doch niemand kann ihr besonderes Ambiente verleugnen.

In den USA haben nur einige wenige Clubhäuser wirklich einen eigenen Charakter, doch fast alle sind hervorragend ausgestattet, sogar die Umkleideräume sind meist fantastisch. Viele haben eine Bar, Extraräume für Kartenspieler und Angestellte, die Ihre Schuhe putzen. Auf der anderen Seite des Atlantiks ist dieser Service praktisch unbekannt.

44 **Wie hoch sind die Aufnahmegebühren in den Clubs?** Will man sich Anteile an einem Club kaufen, muss man in den USA mit Kosten zwischen 5000 $ für einen einfachen Club und bis zu 300 000 $ für einen namhaften Club rechnen. Im Durchschnitt bewegen sich die Preise zwischen 12 000 und 40 000 $.

In einigen Großstadtclubs beträgt die Aufnahmegebühr über 40 000 $, vor allem in gehobenen Clubs, in denen viele Geschäftsleute und Reiche Mitglied sind. Exklusive Clubs verlangen zwischen 50 000 und 100 000 $. Jahresspielgebühren, und andere Gebühren können sich noch einmal auf bis zu 5000 $ belaufen. In vielen Clubs wird man aber überhaupt erst aufgenommen, wenn ein Mitglied eine Empfehlung ausspricht. In manchen Clubs ist es möglich, seine Anteile wieder zu verkaufen, und manchmal lässt sich damit sogar ein Gewinn erzielen.

Halb private Clubs bieten oft eine Saisonmitgliedschaft an, die bis zu 5000 $ kosten kann und dem Spieler das Spielrecht für eine gewisse Zeit bietet.

In Großbritannien ist die Lage ähnlich. Die meisten privaten Clubs verlangen eine Aufnahmegebühr zwischen 1000 bei einfachen und 30 000 £ bei exklusiven Clubs, dazu kommen jährliche Spielgebühren zwischen 300 und 3000 £.

In Deutschland sind die Aufnahmegebühren ebenfalls sehr unterschiedlich. Je nach Lage – Stadt oder Land – und Exklusivität des Clubs sind sie in der Höhe auch mit Großbritannien und den USA vergleichbar.

45 Gibt es einen weltberühmten Bunker?

Ja, den Road Bunker vor dem 17. Grün auf dem Old Course in St Andrews. Dieser kaum 3 m breite und 3 m tiefe Bunker ist eine äußerst unangenehme Falle, die schon viele gute und auch einige hervorragende Spieler in die Knie gezwungen hat.

Bei den British Open 1978 verbrachte Tommy Nakajima einige frustrierende Minuten im Road Bunker, nachdem sein Ball darin gelandet war. Er brauchte vier Schläge, um den Ball herauszuspielen, und seitdem hat der Bunker auch den Spitznamen „Sands of Nakajima". Der Italiener Costantino Rocca benötigte drei Schläge, um sich beim Play-off der British Open 1995 aus dieser Falle zu befreien – und verlor anschließend gegen John Daly. David Duval musste während der Abschlussrunde der British Open im Jahr 2000 den Ball sogar nach hinten herausspielen, nachdem schon drei Versuche, den Ball direkt nach vorn auf das Grün zu spielen, fehlgeschlagen waren. Er beendete die Bahn mit acht Schlägen und fiel vom zweiten auf den geteilten 11. Platz zurück.

Der Road Bunker ist deshalb so hinterhältig, weil er die Bälle auch bei sicher scheinenden Schlägen auf das Grün verschlingt, denn das Gelände um den Bunker herum ist abschüssig, sodass viele Bälle einfach in die Falle rollen.

Teuflischer Bunker

Als der Stahlmagnat Henry Fownes 1904 zusammen mit seinem Sohn den Platz in Oakmont baute, wollte er ihn zum schwersten Platz der Welt machen. Seiner Meinung nach sollte jeder schlechte Schlag sofort bestraft werden. Sein Platz bekam deshalb 220 Bunker und extrem schnelle Grüns. Der bekannteste Bunker trägt den Namen Church Pews (Kirchenbänke) und liegt vor dem dritten Grün. Er ist 55 m lang und 37 m breit und mit einigen grasbewachsenen Inseln ausgestattet, die den Stand im Bunker zusätzlich erschweren.

46 Wie groß ist ein Loch, und wie oft wird seine Position verändert?

46 seine Position verändert? Vier Jahrhunderte lang gab es für die Lochgröße keine festen Vorgaben. Jeder Club legte die Größe fest, und oft unterschieden sich die Löcher erheblich von einem Club zum nächsten. Manchmal kam es sogar vor, dass die Größe der Löcher von einer Bahn zur nächsten unterschiedlich war.

1893 beschloss der R&A, eine feste Größe einzuführen, und man übernahm den Durchmesser der Löcher im Musselburgh GC: 4,5 Inch = 11 cm. Ab 1931 wurde in den USA mit größeren Bällen (43 mm) gespielt, doch die Vorgaben für den Lochdurchmesser wurden beibehalten. Heute ist vorgeschrieben, dass ein Loch 11 cm Durchmesser haben und mindestens 10 cm tief sein muss.

Das Loch ist mindestens 10 cm tief und hat einen Durchmesser von 11 cm.

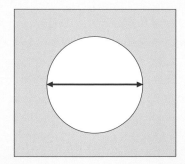

Während der großen Turniere werden die Lochpositionen vor jeder Runde verändert, wobei die exakte Lage vorher jeweils genau festgelegt wird. Beim Masters gibt es z.b. an allen vier Turniertagen sechs leichte, sechs mittelschwere und sechs schwere Fahnenpositionen.

Die leichte Fahnenposition ist meist in der Mitte des Grüns und erlaubt relativ leichte Annäherungen. Eine schwere Position wäre nahe am Grünrand, ganz in der Nähe eines Bunkers oder Wasserhindernisses.

Gelegentlich kommt es vor, dass die Fahnen übertrieben schwierig gesteckt werden, so z.b. auf der zweiten Runde der US Open 1998 im Olympic Club in San Francisco. Das 18. Grün verläuft sehr schräg von hinten nach vorn und ist extrem schnell. Auf dieser zweiten Runde war die Fahne ganz hinten links gesteckt, in einer Position, die nur die wenigsten Spieler direkt anspielen konnten.

Payne Stewart musste zusehen, wie sein Birdieputt aus zweieinhalb Metern, der ihm die Führung mit drei Schlägen eingebracht hätte, das Loch verfehlte und noch fast 8 m weiterrollte. Er bezeichnete die Fahnenposition später als „schon fast lächerlich". Kirk Triplett stoppte seinen Ball absichtlich mit dem Putter, als er auf dem schrägen Grün immer schneller wurde, und erhielt für diesen Regelverstoß zwei Strafschläge.

„Die Position war ausgesprochen dumm", kommentierte John Daly. „Die Zuschauer, die unsere Putts am Fernseher beobachtet haben, halten uns jetzt wohl alle für echte Idioten."

Auch der Direktor der USGA, David Fay, gab zu: „Wir sind darüber nicht sehr glücklich."

47 **Was ist ein Stimpmeter?** Mit einem Stimpmeter kann man die Rollgeschwindigkeit des Grüns messen. Das Gerät wurde 1936 vom Amateurmeister Eddie Stimpson aus Massachusetts entwickelt und ist eine 91 cm lange Schiene mit einer Kerbe, die 15 cm vom hinteren Ende entfernt angebracht ist. Man legt einen Ball auf diese Kerbe und hebt die Schiene an diesem Ende langsam an, bis der Ball bei einem Winkel von ca. 20° von selbst die Schiene hinunterläuft. Die Messung erfolgt auf einem flachen Teil des Grüns, und als Messwert zählt die Strecke, die der Ball auf dem Grün gerollt ist.

Stimpson entwickelte sein Gerät für einen Freund, der mit künstlichen Puttinggrüns experimentierte. Der Stimpmeter wurde erst nach dem Zweiten Weltkrieg wirklich bekannt, wird aber heute bei praktisch jedem internationalen Profiturnier verwendet. Bei den meisten Plätzen, auf denen die US Open ausgetragen werden, sind die Grüns extrem schnell und haben Stimpmeterwerte von elf bis zwölf Fuß (ca. 330–360 cm). Auf dem Augusta National sind sie noch schneller.

Qualität und Geschwindigkeit eines Grüns hängen von mehreren Faktoren ab: der geografischen Lage des Platzes, der Grassorte und der Pflege. Auf manchen öffentlichen Plätzen in Großbritannien, bei denen die Grasqualität nicht besonders gut ist und die Witterungsbedingungen schwierig sind, sind Messwerte von sieben bis acht Fuß (210–240 cm) nicht ungewöhnlich.

Mit dem Stimpmeter misst man die Geschwindigkeit des Grüns.

48 **Haben viele Clubs zwei Golfplätze?** Weltweit haben hunderte Clubs zwei oder mehr Plätze. So verfügt z.b. das Pinehurst-Resort in North Carolina über fünf Plätze, die alle unter Mitarbeit des großen schottischen Architekten Donald Ross entstanden. Der Course No. 2 ist am bekanntesten und war Austragungsort wichtiger Turniere, z.b. des North and South Amateur, der North and South Open, der US Amateur 1962, der Eisenhower Trophy 1980, der US Senior Open 1994 sowie der US Open 1999, die Payne Stewart gewann.

In St Andrews gibt es sechs Plätze – Old Course, New Course, Jubilee, Eden, Strathtyrum und Balgove, alle für Gastspieler zugänglich. Die Plätze gehören eigentlich keinem der sechs ortsansässigen Clubs, sondern werden von einer 1974 vom Parlament eingesetzten Organisation gemanagt, dem St Andrews Links Trust.

Bekannte Clubs mit mehreren Plätzen

Amerika
Baltusrol: Upper und Lower
Congressional: Blue und Gold
The Greenbrier: Old White, Greenbrier und Meadows
Medinah: Nr. 1, 2, und 3
Merion: East und West
Oak Hill: East und West
Olympia Fields: North und South
Olympic: Lake, Ocean und Cliffs
Winged Foot: East und West

Andere Länder
Ballybunion (Irland): Old und New
Carnoustie (Schottland): Buddon, Burnside und Championship
Kasumigaseki (Japan): East und West
Killarney (Irland): Mahoney's Point, Killeen und Lackabane
Royal Melbourne (Australien): East und West
Royal Troon (Schottland): Old und Portland
Sunningdale (England): Old und New
Turnberry (Schottland): Ailsa und Kintyre
Wentworth (England): East, Edinburgh und West
Walton Heath (England): Old und New

49 Welcher Topplatz war noch nie Austragungsort eines Major-Turniers? Pine

Valley, denn dort ist einfach nicht genügend Platz, um die Menschenmassen unterzubringen, auch wenn es 1936 und 1985 beim Walker Cup gelang, eine gewisse Anzahl von Zuschauern zuzulassen.

In Cypress Point werden Profiturniere gespielt, aber keine Majors. Auch dort ist der Hintergrund, dass die Mitglieder nicht möchten, dass 200 000 Zuschauer und mehr über die geheiligten Spielbahnen trampeln. Cypress Point ist außerdem für die besten Golfer der Welt nicht lang und schwer genug.

Auch auf den National Golf Links in New York gab es noch nie ein Major; das größte Turnier das jemals dort stattfand war der Walker Cup im Jahr 1922. Das ist immerhin schon ein Walker Cup mehr als auf dem schönsten Platz Floridas, dem Seminole, den viele Golffans von unzähligen Fotos kennen.

In Irland wurden die British Open bisher nur auf dem Royal Portrush ausgetragen (1951), sodass Royal County Down, Portmarnock, Ballybunion und Waterville noch immer auf ihre große Chance warten. In England gelten der Saunton in Devon und der Hillside in Lancashire als Kandidaten für eine British Open, und auch der Royal Dornoch in Schottland wäre sicher geeignet, läge er nicht so weit abseits ganz im Norden des Landes, fast 250 km von Edinburgh entfernt.

50 **Welcher Platz hat das ungewöhnlichste Hindernis?** Es gibt wohl kein ungewöhnlicheres Hindernis als die Krokodilgrube zwischen dem Abschlag und dem Grün von Loch 13, einem Par 3, im Lost City Golf Course in Sun City, Südafrika. Die steilen Wände der Grube sind 3,6 m hoch, um zu verhindern, dass die Tiere entwischen oder die Spieler dort nach ihren verschlagenen Bällen suchen. Die Bahn bietet jedoch noch andere außergewöhnliche Dinge: Das Grün hat die Form des afrikanischen Kontinents, und die drei Bunker sind mit verschiedenfarbigem Sand gefüllt, der Afrika als „Regenbogenkontinent" symbolisiert. Auch der St Enodoc in Cornwall hat ein außergewöhnliches Hindernis, nämlich einen 12 m hohen Wall aus Sand, der das 6. Fairway entlangläuft. Dieser Wall nennt sich Himalaya und kann für jeden Score ein wirkliches Desaster bedeuten. Loch 4 im Royal St George's in Kent (siehe Abb. S. 83) hat ein steile, sandige Falle, die ebenso Furcht einflößend ist. Noch extremer ist der Bunker mitten im Grün von Loch 6 des Riviera Country Club im kalifornischen Pacific Palisades.

Loch 13 im südafrikanischen Lost City Course. Die Ballsuche ist hier nicht zu empfehlen.

51 **Was sind die beliebtesten Reiseziele der Golfer?** Amerikanische Golfer geben im Jahr etwa 24 Mrd. $ für Reisen aus, europäische ca. 2 Mrd. $. Golf ist ein Riesengeschäft, und jedes Land, in dem diese Sportart betrieben wird, möchte ein Stück des Kuchens abbekommen.

Schon Anfang des 20. Jh. reisten wohlhabende amerikanische Golfer im Winter gerne nach Florida, North und South Carolina, Georgia und Virginia. Dort entstanden elegante Resorts wie Greenbrier, Pinehurst und Homestead, in denen man das ganze Jahr über golfen konnte.

Orte, die früher sehr klein waren, sind durch die Golfindustrie heute zu riesigen Städten angewachsen, etwa Myrtle Beach in South Carolina, Orlando in Florida und Palm Springs in Kalifornien. In den 1930er-Jahren war Scottsdale in Arizona ein kleines Dorf mit Tankstelle, Feuerwehrhaus und einer Bar. Heute bietet diese riesige Vorstadt von Phoenix über 150 Golfplätze in einem Radius von etwa 50 km. Myrtle Beach, früher ein verschlafener Küstenort, ist voller Hotels und Ferienwohnungen, um die vielen Golfer unterbringen zu können. In der Gegend gibt es 115 Plätze, auf denen jährliche 4,2 Mio. Runden gespielt werden. Im Jahr 2000 machten über 1 Mio. Golfer Urlaub in Orlando in Florida, von denen 300 000 aus Europa kamen.

In Europa kann man an verschiedenen Orten ganzjährig Golf spielen, etwa an der Algarve in Portugal und an der Costa del Sol, der Costa Brava und der Costa Blanca in Spanien. Besonders britische Golfer reisen im Winter gerne in den Süden.

In Schottland und Irland scheint die Sonne vielleicht nicht so oft, trotzdem sind beide Länder beliebte Reiseziele, vor allem wegen der Linksplätze. In Schottland machen jährlich etwa 200 000 Briten und 60 000

Amerikaner Golfurlaub, dazu kommen viele japanische Spieler, für die eine Runde in Schottland schon fast ein religiöses Erlebnis ist. Schon 1997 kamen über 200 000 Golfurlauber nach Irland und trugen mit über 100 000 £ zur Ankurbelung der Wirtschaft bei.

Andere beliebte Golfreiseziele sind Australien, die Bahamas, Bermuda, Dubai, England, Frankreich, Indonesien, Malaysia, Neuseeland und Thailand.

52 **Auf welchem Platz sieht man die meisten exotischen Tiere?** Um wirklich exotische Tiere zu sehen, muss man schon nach Afrika reisen. Auf vielen Plätzen in Zentral- und Südafrika sieht man wilde Tiere, obwohl man die wirklich großen und gefährlichen mit Elektrozäunen von den Plätzen fernhält.

Besonders viele Tiere sieht man auf dem von Gary Player gebauten Platz Elephant Hills in Simbabwe, in der Nähe der Viktoriafälle. Er liegt etwa 800 km nördlich von Lost City (vgl. Frage 50) und ist Teil eines Resorts. Direkt auf den Fairways begegnen einem schon mal Warzen- schweine, und auch Paviane, Schimpansen, Impalas und andere Gazellen sind nie weit entfernt.

Der Platz ist von einem Zaun umgeben, um Wasserbüffel, Elefanten und Löwen fernzuhalten, doch wenn man gleich hinter dem Zaun wilde Tiere stehen sieht, dann wird es mit der Konzentration auf den nächsten Schlag schwierig, egal wie hoch die Stromstärke im Zaundraht ist. Der Platz liegt innerhalb des Sambesi National Park, ganz in der Nähe des Sambesi und der beeindruckenden Viktoriafälle. Insgesamt ein wirklich unvergessliches Golferlebnis.

53 **Was sind die besten 9-Loch-Plätze der Welt?** In den USA gibt es eine Reihe guter Kurzplätze, der beste von ihnen wahrscheinlich der Whitinsville GC in Massachusetts, der von Donald Ross gebaut und 1925 eröffnet wurde.

Andere gute Plätze sind der Dunes GC in New Buffalo, Michigan (gebaut von Dick Nugent); Wawashkamo GC auf Mackinac Island in Michigan (1898 gebaut von Alex Smith); Phoenixville GC in Pennsylvania (gebaut von Hugh Wilson) und der Platz der Culver Military Academy in Cutler, Indiana.

Der beste Kurzplatz in Großbritannien ist zweifellos der Royal Worlington and Newmarket, der Heimatplatz der Universitätsmannschaft von Cambridge. Der bekannte amerikanische Golfjournalist Herbert Warren Wind bezeichnete ihn einmal als den mit Abstand besten 9-Loch-Platz der Welt.

54 — Wie kommt ein Platz zum Prädikat „Royal"?

Dieses Prädikat wird vom britischen Regenten oder einem Mitglied der königlichen Familie verliehen, meist wenn die Royals die Schirmherrschaft über einen Club übernehmen.

Die 1824 gegründete Perth Golfing Society war der erste Club, dem diese Ehre zuteil wurde – und zwar im Juni 1833. Ein Jahr danach verlieh König Willhelm IV. das Prädikat auch der Society of St Andrews Golfers, die seither Royal and Ancient Golf Club heißt. Als vorläufig letzter Club erhielt der Royal Troon 1978 diesen Namenszusatz.

In Europa dürfen sich derzeit 54 Clubs als Royal bezeichnen, 22 davon in England (inklusive Royal Guernsey und Royal Jersey), neun in Schottland, zwei in Wales, fünf in Irland, zehn in Belgien, zwei in Frankreich und je einer in Dänemark, Spanien, Italien und Malta.

Royal Clubs gibt es auch in Kanada, Australien, Indien, Neuseeland, Südafrika, Simbabwe, Thailand, Kenia, Malaysia, Bermuda, auf den Philippinen, in Hongkong und Marokko.

Bahn 4 im Royal St George's in England.

55 Welche bekannten Plätze sind heute zu kurz für Major-Turniere?

Prestwick, der erste Austragungsort der British Open im Jahr 1860, ist für solche Turniere nicht mehr lang genug. Der Platz ist ganz gewiss kein wertloses Relikt aus der Vergangenheit, doch seine glorreichen Tage liegen hinter ihm. 1860 hatte er zwölf Bahnen auf einer Länge von 3474 m, und auch wenn seine 18 Bahnen sich heute über etwa 6000 m erstrecken, ist er für Tiger Woods und andere Longhitter auch von den hinteren Abschlägen nicht lange genug. Der Platz ist noch immer wunderschön, doch die Profis würden sich nur über die vielen blinden Schläge beschweren und den Platz vielleicht durch ein Ergebnis von 30 unter Par oder noch besser der Lächerlichkeit preisgeben.

Auch die ehemaligen Austragungsorte der British Open an der Küste von Kent, Prince's und Royal Cinque Ports, sind für die Besten der Besten schon lange keine Herausforderung mehr, auch wenn die Clubmitglieder das anders sehen mögen.

Auf dem Merion wurden 1981 die letzten US Open ausgetragen, doch die USGA dementiert, dass wegen der Platzlänge (5297 m) kein Turnier mehr dort stattfindet. Laut Turnierdirektor Mike Davis liegt es daran, dass nicht ausreichend Fläche für TV-Übertragungswagen und Ausstellungszelte vorhanden ist. Der Club hat an die USGA eine Einladung ausgesprochen, doch das Turnier ist heute wohl zu groß, um dorthin zurückzukehren.

Laut Davis könnte sich die USGA sogar vorstellen, dort eine „kleine" US Open zu veranstalten, bei der keine Firmensponsoren beteiligt sind – auch wenn das einen Verlust an Einnahmen bedeutete –, doch die Nachfrage nach Zuschauertickets würde die Kapazitäten des Clubs bei weitem übersteigen. 2002 wurden für das Turnier in Bethpage zweieinhalbmal mehr Tickets verkauft, als man in Merion anbieten könnte. „Das Championship

Committee wollte einfach nicht so viele Zuschauer aus dem Turnier ausschließen", sagte Davis.

Ähnliche Probleme gibt es bei den ehemaligen Turnierplätzen Minikahda, Garden City, Worcester, Inwood, Interlachen und Canterbury – alles hervorragende Plätze, doch ohne größere Umbaumaßnahmen wohl keine Herausforderung für moderne Profis.

Auf dem Merion werden wohl keine US Open mehr stattfinden.

56 **Gibt es nicht auch eine Eisgolf-WM?** Ja, die Drambuie World Ice Golf Championship findet seit 1999 auf einem 9-Loch-Platz im Dorf Uummannaq in Grönland statt, 500 km nördlich des Polarkreises. Der Platz hat ein Par von 36 und bietet ein langes Par-5-Loch mit 547 m. Die Eisfairways werden von Schneehindernissen umgeben, in denen der Ball sofort liegen bleibt. Exakte Schläge sind also wichtig, wenn man die Trophäe aus Speckstein gewinnen will, die einer Inuitfrau mit Baby auf dem Rücken nachempfunden ist.

Das Turnier steht allen Spielern offen und wird meist mit etwa 30 Teilnehmern ausgetragen, die bereit sind, sogar bei –25 °C noch den Schläger zu schwingen. 2000 und 2001 dominierte die dänische Scratch-spielerin Annika Ostberg, die dem Engländer Peter Masters den Titel abjagte.

Eisfrisch

Pete Masters, ein Spieler aus Cambridgeshire mit Handicap 7, gewann die erste Eisgolf-WM 1999. Ausgestattet mit Thermounterwäsche, einem wasserdichten Anzug und einem Hut à la Sherlock Holmes, nutzte Masters die milden Temperaturen – das Thermometer zeigt –14 °C – und gewann mit Runden von 40, 35, 33 und 34 Schlägen mit einem Schlag Vorsprung vor seinem Landsmann Simon Ware-Lane.

Die Eisgolf-WM findet seit 1999 jedes Jahr in Grönland statt.

Der Emirates Golf Club in Dubai.

57 **Wo kann man in der Wüste golfen?** In Wüstengebieten wird schon seit über 100 Jahren Golf gespielt. Die ersten Wüstenplätze wurden im späten 19. Jh. von Soldaten „gebaut", die in den entlegensten Gegenden des britischen Empire stationiert waren. In Kapstadt legte die britische Armee schon 1882 einen Platz mit sechs Bahnen an und gründete 1885 einen eigenen Club, den späteren Royal Cape Golf Club, der heute einen der besten Plätze des Landes hat. Einige Jahre später entstanden weitere Plätze in Port Elizabeth, Johannesburg und Kimberley. Auf all diesen Plätzen waren die Grüns nicht grün, sondern braun – sandige, ölgetränkte gewalzte Flächen, die in der Sonnenhitze trockneten und passable Puttingflächen boten.

Viele Plätze in Afrika haben noch heute braune Grüns, etwa der Ikoyi Club in Nigeria, wo der Engländer Peter Tupling bei der Nigerian Open 1981 mit den glatten Puttingflächen am besten zurechtkam und mit dem Rekordergebnis von 255 Schlägen gewann.

Im australischen Outback gibt es noch heute viele einfache Golfplätze mit Bitumengrüns, die bei hohen Temperaturen sehr weich werden. Im Blinman Club in Südaustralien spielt man im Sommer meist bei Temperaturen weit über 40 °C. Die neun Bahnen haben kleine rechteckige Bitumengrüns, neben denen jeweils ein Rechen liegt, mit dem man die tiefen Abdrücke, die die Spieler beim Putten hinterlassen, glätten muss.

Beim Thema Wüstengolf denkt man aber heute meist an die Luxusresorts mit smaragdgrünen Bahnen und Riesenkakteen in Scottsdale und Tucson im Süden Arizonas. Einige Plätze in Scottsdale, etwa Troon North, Grayhawk und Desert Highlands, gehören zu den besten des Landes und sind Austragungsort wichtiger Turniere. Auch im Nahen Osten gibt es moderne Wüstenplätze, z.B. den Emirates Golf Club in Dubai, in dem seit 1989 Turniere der European Tour stattfinden, an denen auch Stars wie Tiger Woods und Ernie Els teilnehmen.

Wüstenparadies
Der Emirates Golf Club ist ein wahres Paradies. Finanziert wurde er von Scheich Mohammed Bin Rashid Al Maktoum, gebaut vom Amerikaner Karl Litten. Jedes Jahr im März findet dort das bekannte Dubai Desert Classic statt. Täglich laufen fast 3 Mio. l Wasser durch 30 km lange Rohre und 700 Sprinklerköpfe, um das Gras, die Palmen, Kakteen und anderen Pflanzen zu bewässern, die aus vielen Teilen der Welt stammen.
Der außergewöhnliche Platz allein reichte dem Scheich noch nicht, er baute auch ein 10 Mio. £ teures Clubhaus, das aussieht wie ein Beduinenzelt.

 Was versteht man unter einem TPC-Platz?

TPC steht für „Tournament Player's Course" und bezeichnet Plätze, die speziell für Profiturniere gebaut wurden und meist viel freie Fläche für Zuschauer um die Grüns herum bieten. Ende 2001 gab es in den USA 23 solcher Plätze, die dem TPC Network der PGA-Tour gehören oder von diesem Gremium lizenziert wurden.

Die Idee der TPC-Plätze wurde von Deane Beman entwickelt, dem PGA Tour Commissioner von 1974 bis 1993, der sich nach einem Turnier ärgerte, dass er vom Spielgeschehen so wenig mitverfolgen konnte. Der erste TPC-Platz, der weltberühmte Sawgrass, wurde bei seiner Eröffnung im Jahr 1980 wegen der kleinen, extrem welligen und schwierigen Grüns heftig kritisiert. J.C. Snead hasste den Platz so sehr, dass er dem Designer Peter Dye vor-

TPC-Plätze in den USA

Öffentliche Plätze

Platz	Bundesstaat	Turnier
The Canyons	Nevada	Invensys Classic
Deere Run	Illinois	John Deere Classic
Heron Bay	Florida	Honda Classic
Myrtle Beach	S Carolina	Senior Tour Championship
Scottsdale	Arizona	Phoenix Open
Sawgrass	Florida	Players Championship
Tampa Bay	Florida	Verizon Classic
Virginia Beach	Virginia	Virginia Beach Open

Private Plätze

Platz	Bundesstaat	Turnier
Avenal	Maryland	Kemper Open
Boston	Massachusetts	N/A
Craig Ranch	Texas	N/A
Eagle Trace	Florida	Honda Classic
Jasna Polana	New Jersey	Instinet Classic
Michigan	Michigan	Senior Players Champ
Piper Glen	N Carolina	Home Depot Invitational
Prestancia	Florida	Amex Invitational
River Highlands	Connecticut	Greater Hartford Open
River's Bend	Ohio	Kroger Senior Classic
Southwind	Tennessee	St Jude Classic
Sugarloaf	Georgia	BellSouth Classic
Summerlin	Nevada	Invensys Classic
Twin Cities	Minnesota	3M Championship
Wakefield Plantation	N Carolina	Carolina Classic

Das berühmte Inselgrün im TPC at Sawgrass.

warf, er habe einen herr-
lichen Sumpf ruiniert.
Der Platz wurde umge-
staltet und ist nun bei
allen Spielern beliebt.

Die meisten TPC-Kurse wurden von den besten Golfplatzarchitekten gebaut, darunter Jack Nicklaus, Gary Player, Arnold Palmer, Tom Fazio, Arthur Hills, Greg Norman, Tom Weiskopf und Jay Morrish. Einige Clubs sind privat oder halb privat, doch elf sind öffentlich zugänglich und gegen eine Greenfee zwischen 105 und 235 $ bespielbar (Stand: 2001). Auch in China, Japan und Thailand gibt es inzwischen TPC-Plätze.

59 **Was war die schnellste Golfrunde, die jemals gespielt wurde?** Rekordversuche mit allen möglichen Hilfsmitteln und unterschiedlich vielen Spielern gab es schon viele. Britische Soldaten, die im Ort Aldershot in Hampshire stationiert waren, versuchten es einmal mit Hilfe eines Hubschraubers, und im Jahr 1992 spielte eine Kette aus 91 Golfern eine 1-Ball-Runde im Paradise Golf Club in Arizona. Sobald der Ball ruhig lag, war der nächste Spieler an der Reihe. Zwischen dem Grün und dem nächsten Abschlag wurde der Ball jeweils geworfen. Der letzte Putt auf dem 18. Grün fiel genau 11 Minuten und 24 Sekunden nach dem ersten Abschlag.

Das Hochgeschwindigkeitsgolf begann wohl 1922, als Jock Hutchinson und Joe Kirkwood auf dem Old Course in St Andrews eine Runde in einer Stunde und 20 Minuten absolvierten – nicht schlecht für die damalige Zeit, doch heute liegt der Rekord deutlich darunter. Die schnellste Teamrunde wurde im September 1996 gespielt, als das Fore Worecester Children's Team im Tatnuck CC in Massachusetts eine Runde in nur 9 Minuten und 28 Sekunden spielte.

Bei den Einzelspielern schaffte Hugh Kimbrough 1972 in North Platte, Nebraska, eine Runde mit dem Eisen 3 in nur 30 Minuten und 10 Sekunden. Der amerikanische Mittelstreckenläufer Steve Scott hielt in den 1970er-Jahren den Rekord mit einer Runde von 29 Minuten und 30 Sekunden im Dad Miller Course in Anaheim in Kalifornien. Die schnellste je registrierte Runde absolvierte jedoch James Carvill am 18. Juni 1987 im Warrenpoint GC in Irland mit der fantastischen Zeit von 27 Minuten und 9 Sekunden.

60 **Was ist der „Slope"?** Der Slope gibt an, wie schwierig ein Platz für Amateure zu spielen ist, und wird verwendet, um das jeweilige Turnierhandicap zu berechnen. Das System stammt aus Amerika, wo die USGA den Schwierigkeitsgrad für den Handicapspieler mit dem „Course Rating" (Platzrating) vergleicht, also dem Schwierigkeitsgrad für Scratchspieler unter normalen Platz- und Witterungsbedingungen.

(Das Course Rating entspricht dem Durchschnitt der besseren Hälfte des Scores eines Scratchspielers. Auf der Basis dieses Course Ratings wird der Slope anhand der folgenden Gleichung ermittelt:

(Bogey Course Rating – USGA Course Rating) x 5,381.

Das ergibt den Slope für die Herren; für Damen wird mit 4,24 multipliziert. Das Bogey Course Rating ist eine Bewertung der Gesamtschwierigkeit des Platzes unter normalen Bedingungen für Bogeygolfer – also Spielern mit Handicap 17,5 bis 22,4 und Spielerinnen mit Handicap 21,5 bis 26,4. Es entspricht dem Durchschnitt der besseren Hälfte des Scores eines Amateurs.

Der niedrigste Slope ist 55, der höchste 155. Ein Golfplatz mittlerer Schwierigkeit hat ein USGA Slope Rating von 113.

Technik

61   Was ist der Vardon-Griff?

Der Griff ist die Art und Weise, wie man einen Golfschläger in Händen hält (vgl. Frage 62). Es gibt im Prinzip drei Varianten:

1. Der Vardon-Griff

Harry Vardon (1870–1937) war einer der größten Golfer aller Zeiten. Er gewann die US Open einmal, die British Open sogar sechsmal. Nach ihm wurde der Standardgriff benannt, der auch heute sehr weit verbreitet ist. Erfunden hat diesen Griff jedoch Johnny Laidlay, ein exzellenter Amateurgolfer aus Edinburgh. Bei Rechtshändern liegt der kleine Finger der rechten Hand über dem Zeigefinger der linken und der Ringfinger der rechten Hand neben dem linken Zeigefinger. Vardon zog diesen Griff dem damals üblichen Baseballgriff vor, weil damit beide Hände als Einheit agieren konnten und der Schlägerkopf besser zu kontrollieren war. Außerdem waren seine Hände so riesig, dass er den Schläger gar nicht anders halten konnte. Dieser Griff wird auch heute von den meisten Spielern verwendet.

2. Der Baseballgriff

Bis Ende des 19. Jh. hatten die beiden Hände am Griff kaum oder keinen Kontakt miteinander. Heute spielen nur noch Kinder und sehr kleine Damen diesen Griff, weil sie sonst nicht genügend Kraft auf den Schläger übertragen könnten. Es gelingt damit, mehr Geschwindigkeit auf den Ball zu übertragen und mehr Weite zu erzielen, und manch ein Spieler kann damit den Slice gut vermeiden. Doch für gute Golfer ist der Griff weniger geeignet, denn manchmal wird dabei die rechte Hand zu aktiv und schließt den Schlägerkopf im Treffmoment.

3. Der Interlockinggriff

Bei dieser Variante des Vardon-Griffs wird der rechte kleine Finger mit dem linken Zeigefinger verhakt. Er empfiehlt sich für Golfer mit eher kurzen, dicken Fingern – wie z.B. Jack Nicklaus, der nur diesen Griff spielte. Trotz seiner eher schlanken Finger spielt auch Tiger Woods schon sehr lange den Interlockinggriff.

62 Was ist ein neutraler

Griff? Ein korrekter Griff ist absolut wichtig, weil Sie nur mit Ihren Händen Kontakt zum Golfschläger haben. Mit dem richtigen Griff können Sie die Kraft, die Sie im Rückschwung aufbauen, mit einem korrekt ausgerichteten Schlägerblatt und zum richtigen Zeitpunkt auf den Ball übertragen, sodass er in die gewünschte Richtung fliegt. Anders ausgedrückt: Sie maximieren Kraft und Zielgenauigkeit.

Toptipp:
Greifen Sie locker und richten Sie das Schlägerblatt square zum Ziel aus. Üben Sie täglich einige Minuten lang den richtigen Griff, dann fühlt er sich bald natürlich an.

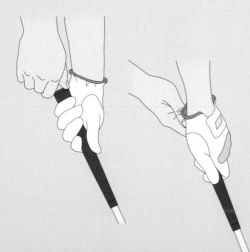

Linke Hand
■ *Das Schlägerblatt zeigt square zum Ziel. Legen Sie den Schläger so in die linke Hand, dass er in der Krümmung des Zeigefingers liegt und den Ansatz des kleinen Fingers berührt.*
■ *Schließen Sie die linke Hand und legen Sie den Daumen oben, leicht rechts versetzt, auf den Griff.*
■ *Zeigefinger und Daumen bilden ein „V".*
■ *Die Spitze des „V" zeigt auf einen Punkt zwischen der rechten Schulter und dem Kinn. Von oben gesehen sollten zwei bis drei Knöchel der linken Hand sichtbar sein. Der Handrücken zeigt zum Ziel.*

Schwacher Griff

Beim schwachen Griff sieht man zu viel vom Rücken der unteren Hand und zu wenig vom Rücken der oberen. Dies führt leicht zu einem Slice, weil die Schlägerfläche im Treffmoment meist offen ist (vgl. Frage 67).

Rechte Hand

■ *Greifen Sie mit den Fingern der rechten Hand zu.*
■ *Der Schläger liegt in der Mitte der Finger, nicht am Fingeransatz.*
■ *Schließen Sie die Hand, der Daumen liegt leicht rechts der Griffmitte.*
■ *Der rechte Daumenballen liegt über dem linken Daumen.*
■ *Das entstehende „V" zeigt auch hier auf einen Punkt zwischen der rechten Schulter und dem Kinn. Die Handfläche ist zum Ziel ausgerichtet.*

Starker Griff

Beim starken Griff sieht man zu viel vom Rücken der oberen Hand. Dadurch entsteht leicht ein Draw oder ein Hook. Profis, die keinen neutralen Griff haben, spielen meist einen starken Griff, weil sie dem Ball beim Draw (leichte Kurve von rechts nach links) mehr Drall mitgeben können und er auf dem Fairway weiterrollt. Fred Couples, Paul Azinger, Bernhard Langer und viele andere Topspieler haben einen starken Griff.

63 **Wie stellt man sich richtig hin?** Der
richtige Stand ist absolut wichtig. Um den Schläger richtig
schwingen zu können und dabei die Balance zu behalten, müssen die
Körperwinkel stimmen. Denken Sie daran, wie ein Torwart kurz vor dem
Elfmeter steht oder ein Schwimmer kurz vor dem Startschuss: locker und
gleichzeitig hoch konzentriert. Das gilt auch für Sie.

**Drei Schritte zur
richtigen Haltung**

Toptipp:
Halten Sie das obere Ende
eines Schlägers so vor die
rechte Schulter, dass der
Schaft nach unten zeigt.
Berührt er fast das rechte
Knie, dann stehen Sie korrekt. Zeigt das Schlägerblatt
vor das Knie, beugen Sie sich
aus den Hüften zu weit nach
vorn; zeigt es hinter das
Knie, sind die Knie zu sehr
gebeugt, und es liegt zu viel
Gewicht auf den Fersen.

*1. Stehen Sie aufrecht, Füße
schulterbreit auseinander,
Zehen leicht nach außen.
Halten Sie den Schläger mit
ausgestreckten Armen nach
vorn. Das Gewicht ruht gleichmäßig auf beiden Beinen.*

2. Beugen Sie Ihre Knie leicht, verteilen Sie das Gewicht gleichmäßig auf beide Fußballen.

3. Beugen Sie den Oberkörper aus der Hüfte etwas nach vorn und bringen Sie den Schläger nach unten, sodass die Unterkante den Boden leicht berührt. Stehen Sie bequem und achten Sie darauf, dass das Kinn nicht an der Brust liegt.

64 **Was ist für die Ansprechposition noch wichtig?**

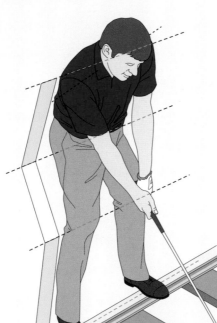

Ausrichtung

Wenn Sie den Ball z.B. in gerader Richtung auf das Ziel schlagen wollen, müssen Sie Ihren Körper „parallel links" davon ausrichten. Stellen Sie sich vor, Sie stehen auf einem Gleis: Ball und Schlägerkopf liegen auf der äußeren Schiene, Sie selbst stehen auf der inneren. Das Ziel liegt in einiger Entfernung entlang der Linie der äußeren Schiene. Ihre Zehenspitzen berühren die innere Schiene, und Knie, Hüfte und Schultern sind parallel zur Ziellinie ausgerichtet, besser gesagt auf einen Punkt knapp links neben dem Ziel. Linkshänder richten sich „parallel rechts" aus. Wenn Sie der Ball absichtlich mit einer Kurve spielen möchten, müssen Sie sich anders ausrichten (vgl. Frage 76).

Ziel

Beim Üben ist es sinnvoll, zwei Schläger parallel auf den Boden zu legen (wobei der äußere direkt zum Ziel zeigt), damit die Ausrichtung korrekt ist.

Weiter auf der nächsten Seite

Driver

Pitching Wedge

Ballposition

Hier gibt es zwei Varianten. Manche Golflehrer sagen, der Ball solle bei allen Schlägen gleich liegen – unmittelbar neben der Innenkante des linken Fußes. Bei kürzeren Schlägern rückt man einfach den rechten Fuß ein wenig nach links, sodass der Stand enger wird. Andere sagen, man solle den Ball weiter in die Mitte legen, je kürzer der Schläger wird, sodass er direkt in der Standmitte liegt, wenn man mit dem Pitching oder Sand Wedge schlägt. Probieren Sie beide Varianten aus, dann sehen Sie, welche Ihnen eher liegt.

65 **Wie hoch wird der Ball „aufgeteet"?**

Es gibt keine „korrekte" Teehöhe, man muss einfach heraus-
finden, welche Höhe am besten passt. Beim Abschlag mit dem Driver ist
bei vielen Spielern der Ball so ausgerichtet, dass sein „Äquator" in Höhe
der Oberkante des Schlägers liegt. Dadurch erhöht sich aber das Risiko,
dass Sie den Ball nicht mit dem Sweetspot des Schlägers treffen. Bei einem
Abschlag mit einem langen Eisen bzw. einem kurzen Eisen bei einem Par 3
liegt der Ball meist deutlich niedriger. Dadurch erhöht man auch die Chancen auf einen guten Backspin und eine bessere Ballkontrolle.

Wenn Sie einen kontrollierten Fade schlagen wollen (Ballkurve von
links nach rechts), teen Sie den Ball niedrig auf, damit der Schläger steiler
von außen auf den Ball treffen kann. Bei einem Draw (Ballkurve von rechts
nach links) sollte der Ball etwas höher liegen, damit Sie flacher durchzie-
hen und ihn mit dem Schläger von innen nach außen treffen können.

66 **Wie fest sollte der Griff sein?** Viele Golflehrer empfehlen, den Schläger so fest zu halten wie einen kleinen Vogel oder eine Tube Zahnpasta. Doch wann hat man schon einen
Spatz in der Hand? Besser ist, man stellt sich eine Festigkeitsskala von 1 bis
10 vor, wobei 1 ein sehr lockerer Griff ist, bei dem der Schläger aus der
Hand gleitet, und 10 ein sehr fester, bei dem die Unterarmmuskeln voll
angespannt sind und die Fingerknöchel hervortreten. Versuchen Sie, den
Schläger mit einer Festigkeit von 3 bis 4 zu greifen. Wichtig: Ein zu fester
Griff führt nicht zu einem längeren Abschlag, weil der Schlägerkopf meist
nicht zum richtigen Zeitpunkt freigegeben wird.

67 **Was bedeutet „square" sein?** Beim Golf
bezeichnet der Begriff „square" zum einen die Ausrichtung
des Körpers im Verhältnis zum Ziel und zum anderen den
Winkel des Schlägerkopfs während des Schwungs.

*Damit der Körper beim Ansprechen square zur
Ziellinie steht, müssen Sie „parallel links" vom
Ziel ausgerichtet sein (vgl. Frage 64). Der
Schlägerkopf ist square, wenn seine Vorderkante rechtwinklig zur Ziellinie steht. Im Ver-
lauf des Schwungs bleibt die Schlagfläche
square, wenn die Schlägerspitze auf halber
Höhe des Rückschwungs senkrecht nach oben
zeigt (rechts). Am obersten Punkt des Rückschwungs sollte die Vorderkante einen Winkel
von 45° zum Boden beschreiben (ganz rechts).*

Doch nur Perfektionisten achten darauf, dass die Schlagfläche während des gesamten Schwungs square ist. Als Handicapspieler sollte man den Schwung möglichst nicht zu kompliziert machen und sich stattdessen darauf konzentrieren, dass man in der Ansprechposition möglichst square steht.

Weiter auf der nächsten Seite

Weitere Fachbegriffe

Offen

Die Schlagfläche ist offen, wenn die Vorderkante rechts vom Ziel ausgerichtet ist. Die Schlägerferse liegt vor der Schlägerspitze, und man sieht die gesamte Schlagfläche. Ein offener Schlag führt meist zu einem Fade oder Slice, bei dem der Ball nach rechts fliegt. In der Ansprechposition ist die Körperhaltung offen, wenn der Körper links vom Ziel ausgerichtet ist, also offener zum Ziel als bei der korrekten Position.

Geschlossen

Die Schlagfläche ist geschlossen, wenn die Vorderkante links vom Ziel ausgerichtet ist. Die Schlägerferse liegt hinter der Schlägerspitze, und man sieht die Schlagfläche kaum. Das führt meist zu einem Draw oder Hook, bei dem der Ball nach links fliegt. Die Körperhaltung ist beim Ansprechen geschlossen, wenn der Körper rechts vom Ziel ausgerichtet ist.

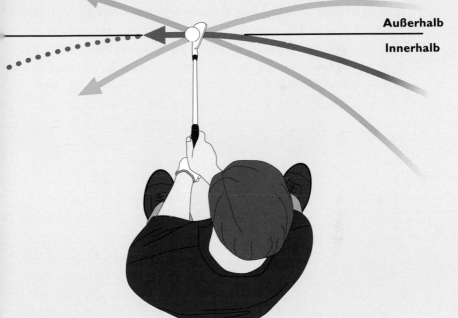

Außerhalb

Innerhalb

Außerhalb und innerhalb der Linie

Die Linie, manchmal auch als Ziellinie bezeichnet, ist rein imaginär und verbindet den Ball mit dem Ziel. Der Spieler steht innerhalb der Linie, der jenseitige Bereich ist außerhalb der Linie. Wenn Ihnen also Ihr Golflehrer sagt, dass Ihr Pull (Ball startet links und fliegt dann gerade) daher kommt, dass Sie von außen nach innen schwingen, bedeutet das, dass sich

der Schlägerkopf von außerhalb der Linie her auf den Ball zubewegt und nach dem Treffmoment nach innen geht.

68 **Warum ist die Routine vor dem Schlag so wichtig?** Kommentatoren sprechen oft von der Routine vor dem Schlag und meinen damit die Gedanken und Bewegungen, die Profigolfer vor jedem Schlag durchlaufen. Dabei denkt man nicht an die Schwungtechnik, verdrängt alle negativen Gedanken und konzentriert sich nur auf den nächsten Schlag. Das gelingt, wenn man sich einen Bewegungsablauf zurechtgelegt hat, den man jedes Mal wiederholt.

Gehen Sie einige Schritte hinter den Ball und sehen Sie zum Ziel, beurteilen Sie die Lage des Balls, den Wind und mögliche Hindernisse. Nun stellen Sie sich vor, wie der Ball bei einem guten Schlag fliegt und wo er landen wird.

Danach machen Sie einige Probeschwünge, denken dabei aber nicht an technische Einzelheiten. Schwingen Sie rhythmisch und konzentrieren Sie sich auf den Schlag.

Dann gehen Sie zum Ball und stellen sich korrekt hin, zuerst eventuell im engen Stand, damit die Füße korrekt ausgerichtet sind, danach nehmen Sie die Beine etwas auseinander. Die Ansprechposition sollte bequem und locker sein. Schwingen Sie den Schlägerkopf kurz hin und her und beginnen Sie dann mit dem Rückschwung.

„Waggles"

Oft kann man Profis dabei beobachten, wie Sie den Schläger vor einem Schlag kurz hin und her bewegen (engl. „waggle"). Sie bauen damit Spannung ab, denn der Griff wird leichter, und Arme und Schultern werden lockerer. Mit diesen „Waggles" kann man auch testen, welchen Weg der Schlägerkopf beim Rückschwung nehmen sollte, und ggf. noch kleine Veränderungen vornehmen, sodass die Schlagfläche im Treffmoment wirklich square ist.

Für den großen Ben Hogan waren seine „Waggles" eine Art Generalprobe für den Rückschwung. Der Amerikaner Chris DiMarco, der beim Masters 2001 zwei Runden lang in Führung lag, führt vor jedem Schwung sogar sehr ausgedehnte „Waggles" durch: Er hebt den Schlägerkopf immer zweimal bis auf die halbe Höhe des Rückschwungs an und prüft seine Position. Der Kanadier Mike Weir, ein ehemaliger Eishockeyspieler, entwickelte einen „Waggle", mit dem er die negativen Auswirkungen seiner hockeyartigen Ausholbewegungen in den Griff bekommen konnte. Seve Ballesteros und Scott Hoch gehören zu den wenigen Topspielern, die den Schläger vor dem Rückschwung gar nicht bewegen.

Diese Routine kann man variieren, solange man in der Ansprechposition immer ein klares Bild des Schlags vor Augen hat, den man ausführen möchte. Legen Sie sich eine Routine zu, die Sie vor einem Schlag ausführen – sei es ein Zupfen an der Hose oder ein paarmal tief durchatmen.

69 Was genau ist die Schwungebene?

Die Schwungebene ist im Prinzip der Winkel, mit dem Sie den Schläger an der obersten Stelle des Rückschwungs halten, und zwar im Verhältnis zu seinem Winkel am Boden in der Ansprechposition.

Ben Hogan sagte, die Schwungebene wird von zwei Dingen bestimmt: der Höhe der Schultern und der Standentfernung zum Ball. Er stellte sich eine Glasscheibe vor, die auf seinen Schultern lag und nach unten in Richtung Ball ausgerichtet war (links). Während des Rückschwungs versuchte er, seine Hände und den Schlägerkopf unterhalb der Scheibe zu lassen, während sein linker Arm sich parallel dazu bewegte.

Golfanfänger tun gut daran, dieses Thema zu ignorieren und sich stattdessen auf die korrekte Ansprechposition zu konzentrieren. Machen Sie dann einen langsamen Rückschwung, drehen Sie den Rücken dabei in Richtung Ziel und nehmen Sie die Hände und den Schläger nach oben – dann sind die Chancen gut, dass die Schwungebene einigermaßen stimmt.

70 **Wie verlagert sich das Gewicht während des Schwungs?** Im Prinzip so wie der Schlägerkopf. Im Rückschwung sollte sich das Gewicht leicht auf die Innenkante des hinteren Fußes verlagern und dann im Durchschwung auf den vorderen Fuß, bis der Schwung ausbalanciert zu Ende gebracht wurde. Bewegen Sie sich nicht seitlich, sondern drehen Sie Ihren Oberkörper so, dass der

Am obersten Punkt des Rückschwungs liegt das Gewicht auf der Innenkante des hinteren Fußes.

Rücken beim Rückschwung zum Ziel zeigt und sich die Hüfte im Durchschwung in Richtung Ziel öffnet.

Rückschwung Der Engländer Nick Faldo fühlt am obersten Punkt des
Rückschwungs, wie sein Gewicht von den Muskeln an der Innenseite des
rechten Beins getragen wird. Ihr rechtes Bein sollte leicht gebeugt bleiben
und bis zum obersten Punkt des Rückschwungs als Stütze dienen. Bewegen
Sie Ihren Kopf ruhig leicht nach rechts, während Sie nach hinten schwingen.

*Kurz vor dem Treffmoment
verlagert sich das Gewicht
auf den vorderen Fuß.*

*Am Ende des
Schwungs liegt fast
das gesamte Gewicht
auf dem vorderen
Fuß, die Sohle des
hinteren Fußes zeigt
nach hinten.*

Weiter auf der nächsten Seite

Andernfalls kann es Ihnen passieren, dass Sie Ihr Gewicht genau falsch herum verlagern (siehe unten) und Rücken und Beine zu sehr belasten. Am obersten Punkt des Rückschwungs sollten etwa 75% Ihres Gewichts von der Innenseite des rechten Beins getragen werden. Liegt das ganze Gewicht auf der Außenseite des rechten Beins, hat sich meist auch Ihr Kopf zu weit nach rechts bewegt, und es wird schwierig, den Ball korrekt zu treffen.

Abschwung Beim Abschwung verlagert sich Ihr Gewicht allmählich auf den vorderen Fuß. Im Treffmoment liegt ein Großteil des Gewichts auf dem vorderen Bein, und am Ende des Schwungs – idealerweise in einer ausbalancierten Position – wird fast das ganze Gewicht vom vorderen Bein getragen. Der hintere Fuß steht auf den Spitzen, die Sohle zeigt nach hinten.

Greg Norman visualisiert die Schwungbewegung so: Er stellt sich vor, jemand hinter ihm würde beim Rückschwung seine rechte Hüfte nach hinten ziehen und beim Abschwung seine linke Hüfte.

Falsche Gewichtsverlagerung

Der gravierendste Schwungfehler, der passieren kann: Ihr Gewicht verlagert sich im Rückschwung auf den vorderen Fuß und im Abschwung auf den hinteren – genau das Gegenteil wäre richtig.

Liegt das Gewicht zu früh auf dem vorderen Fuß, wird die Schwungebene zu steil. Das hintere Bein streckt sich und der Kopf geht zu weit nach unten, das Gewicht verlagert sich im Abschwung nach hinten und der Kopf geht zu weit nach oben. Im Treffmoment ist dann der Körper völlig gerade und der Schlägerkopf bereits in der Aufwärtsbewegung. Der Kopf ist zu weit hinter dem Ball, der Ballkontakt ist nicht sauber und der Schlag viel zu kraftlos.

Der Spanier José Maria Olazábal, zweimaliger Masters-Champion, hat manchmal mit diesem Fehler zu kämpfen. Bei ihm bleibt das Gewicht auch während des Abschwungs auf dem vorderen Fuß, wodurch der Schlagwinkel meist zu steil ist und er besonders mit den kurzen Eisen viele Divots produziert und zu viel Backspin auf den Ball bekommt.

Ein gutes Mittel gegen diesen Fehler: Heben Sie beim Üben während des Rückschwungs den vorderen Fuß kurz an und während des Durchschwungs den hinteren. Wiederholen Sie diese Übung so oft, bis Sie flüssig schwingen.

Hände oben

Schlägerblatt square, fast parallel

Augen auf den Ball

Volle Schulterdrehung

71 **Wie sieht die oberste Position des Rückschwungs aus?**

Rechtes Knie gebeugt

Gewicht auf dem hinteren Fuß

72 Wie verbessert man seinen Schwung-rhythmus?

Ein guter Rhythmus ist wichtig für den Schwung, denn dann trifft man den Ball meist square. Auf Ihren besten Runden haben Sie wahrscheinlich sehr entspannt gespielt, haben immer richtig durch den Ball geschwungen. Wahrscheinlich hatten Sie gar nicht das Gefühl, mit viel Kraft zu spielen. Mit einem guten Schwung trifft man den Ball besser, nicht härter, und dann fliegt der Ball weiter und gerader.

Schlagen Sie beim Üben die Bälle im sehr engen Stand, denn so sind Sie gezwungen, langsam zu schwingen und sich auf den Treffmoment zu konzentrieren. Nehmen Sie ein Eisen 8 und lassen Sie zwischen den Füßen maximal 15 cm Abstand – und sehr bald werden alle ruckartigen Bewegungen verschwunden sein. Sie werden durch den Ball schwingen, ihn nicht mehr „zerhacken". Es funktioniert auch auf der Runde, wenn Sie die Übung kurz vor jedem Schwung machen.

Schwingen Sie bei jedem Schlag gleich schnell, egal welchen Schläger Sie nehmen. Durch die Schlägerlänge wird Ihr Abstand zum Ball reguliert, und der Loft des Schlägers bestimmt, an welcher Position der Ball im Stand liegt. Das sind die einzigen beiden Veränderungen, die Sie bei vollen Schlägen vornehmen sollten. Mit dem Driver schwingt man nicht schneller als mit dem Pitching Wedge. Arbeiten Sie daran, indem Sie auf der Driving Range oft den Schläger wechseln.

Der Rhythmus macht's

Beobachten Sie einmal Fred Couples, dann sehen Sie, dass man einen Ball auch ohne wildes Gefuchtel weit schlagen kann. Der Masters-Champion von 1992 hat den langsamsten Schwung auf der Tour, trotzdem sind seine Abschläge sehr weit. Er trifft den Ball sehr weich und erzielt seine Weiten aufgrund des perfekten Timings. Seine Gewichtsverlagerung verläuft sehr natürlich, er stöhnt nicht im Treffmoment und verliert nie die Balance.

Auch viele Profispielerinnen haben ein ausgeprägtes Rhythmusgefühl. Sie sind meist kleiner und haben weniger Kraft als die Männer und sind deshalb noch mehr auf ein gutes Timing angewiesen. Die Schwedin Annika Sörenstam ist nur 1,68 m groß und wiegt nur 59 kg, und doch gehen Ihre Abschläge mit dem Driver im Schnitt weiter als 235 m, wobei sie zu 80% die Fairways trifft – Werte, die die meisten Clubgolfer auch liebend gerne hätten.

73 Wie lernt man, eigene Fehler zu erkennen?

Wie lernt man, eigene Fehler zu erkennen? Es hilft enorm, wenn man weiß, wie und warum ein Slice oder ein Shank passiert, denn dann kann man den Schwung anpassen und die Bälle wieder gerade schlagen. Um den Fehler zu erkennen, muss man sich auf den Weg des Schlägerkopfs konzentrieren – die Linie, auf der er sich nach hinten und dann wieder auf den Ball zubewegt – und auf die Ausrichtung der Schlagfläche, also den Winkel, mit dem die Schlagfläche den Ball trifft. Diese beiden Faktoren entscheiden darüber, ob ein Schlag gelingt oder nicht.

Ball startet links vom Ziel

Wenn das passiert, kam der Schlägerkopf von außen auf den Ball zu und bewegte sich nach dem Treffmoment nach innen weiter. Alles Weitere hängt von der Ausrichtung der Schlagfläche im Treffmoment ab.

Beim Pull startet der Ball links vom Ziel und fliegt dann gerade weiter. Er entsteht durch einen Bewegung des Schlägerkopfs von außen nach innen und eine Schlagfläche, die square zur Schwunglinie liegt. Der Ball-

Kommt der Schlägerkopf von außen, startet der Ball links vom Ziel.

kontakt fühlt sich gut an, weil die Schlagfläche im Treffmoment square zur Schwunglinie liegt und der Ball keinen seitlichen Drall erhält.

Der Pull gleicht dem Pullslice, auch wenn der Ball jeweils auf der anderen Seite des Fairways zu liegen kommt. Der Pullslice startet links, macht dann aber eine Kurve nach rechts, weil die Schlagfläche in Relation zur Schwunglinie offen ist. Außerdem ist der Treffwinkel sehr steil, wodurch man den Ball nicht korrekt trifft.

Wenn der Ball links startet und dann zusätzlich eine Linkskurve macht, verlief die Schwunglinie von außen nach innen, nur dass dabei die Schlagfläche in Relation dazu geschlossen ist. Dieser Schlag heißt Pullhook.

Ball startet rechts vom Ziel

Hier kommt der Schlägerkopf von innen und bewegt sich nach dem Treffmoment nach außen. Ein Block oder Push – Ball startet rechts und fliegt

Kommt der Schlägerkopf von innen, startet der Ball rechts vom Ziel.

dann gerade weiter – entsteht, wenn die Schlagfläche zu dieser Schwunglinie square ist. Ein Pushslice passiert, wenn die Schlagfläche gegenüber der Schwunglinie offen ist. Beim Duckhook – Ball startet rechts, macht dann rasch einen Hook nach links und fliegt sehr niedrig – ist die Schlagfläche gegenüber der Schwunglinie geschlossen.

Ball startet gerade

Wenn der Ball gerade starten und gerade fliegen soll, müssen zwei Kriterien erfüllt sein: Der Schlägerkopf muss den Ball entlang der Ziellinie treffen und die Schlagfläche muss gegenüber dieser Linie square ausgerichtet sein. Dann beschreibt der Schlägerkopf einen flachen Bogen, wenn er sich auf den Ball zubewegt und trifft ihn optimal. Wenn der Ball gerade startet und dann eine Linkskurve macht, war die Schlagfläche gegenüber der Schwunglinie geschlossen, wenn er eine Rechtskurve macht, war sie offen.

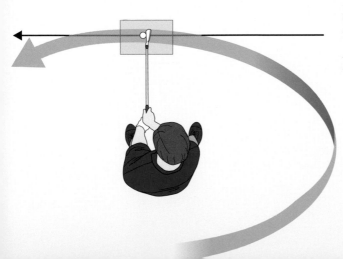

Für einen geraden Schlag muss der Schlägerkopf im Treffmoment parallel zur Ziellinie liegen und die Schlagfläche square dazu.

74 **Wie spielt man am besten aus einem Divot?** Liegt der Ball in einem Divot, dann ist eine Prise Aggression angebracht, erstens gegenüber dem Ball und zweitens gegenüber dem Spieler, der sein Divot nicht repariert hat. Stellen Sie sich so hin wie bei einem Punch bei Gegenwind (vgl. Frage 84), dann ist die Gefahr geringer, den Ball zu toppen.

Um unter den Ball zu kommen, muss der Schwung relativ steil sein. Kippen Sie die Handgelenke früh im Rückschwung und halten Sie die Position bis unmittelbar vor dem Treffmoment. Schlagen Sie schwungvoll durch den Ball und haben Sie keine Angst davor, das Divot noch etwas größer zu machen. Vergessen Sie aber danach nicht, das Divot zu reparieren.

Das perfekte Divot

Wie tief ein Divot wird, hängt vom Schwung und vom Schläger ab. Nur wenige gute Spieler schlagen mit einem langen Eisen ein Divot, denn die Schlägersohle streift nur leicht über den Boden und nimmt den Ball mit. Je mehr Loft ein Schläger hat, desto weiter rechts liegt der Ball beim Ansprechen, desto höher die Wahrscheinlichkeit eines Divots. Ein Wedgedivot ist am tiefsten – ca. 2,5 cm –, weil hier der Schlagwinkel am steilsten ist.

Das Divot sollte überall gleich tief sein. Ist die rechte Seite tiefer, gräbt sich (beim Rechtshänder) die Schlägerspitze in den Boden; dann ist die Schlagfläche offen und der Ball geht nach rechts weg.

75 **Wie kommt ein Slice zustande?** Der Slice ist der häufigste Fehler. Im Gegensatz zum Fade, bei dem der Ball auch von links nach rechts geht (aber viel eleganter), ist der Slice unkontrolliert. Fast 80% aller Golfer leiden am Slice, und die meisten wissen überhaupt nicht warum. Ein Slice kommt zustande, wenn die Schlagfläche offen ist (vgl. Frage 67). Mögliche Ursachen sind:

■ Zu fester Griff.

■ Der Körper ist links vom Ziel ausgerichtet, aber die Schlagfläche liegt beim Ansprechen square zum Ziel.

■ Die Schlagfläche ist beim Ansprechen offen.

■ Zu schwacher Griff.

■ Das Gewicht liegt im Abschwung auf dem hinteren Bein.

Fünf Übungen gegen den Slice

■ Schlagen Sie Bälle, die leicht bergauf liegen, um die richtige Schwunglinie zu trainieren.

■ Klemmen Sie ein Handtuch unter den rechten Arm und schlagen Sie mit einem Eisen 9. So bewegen sich die Hände nicht zu schnell vor den Körper, und Sie üben automatisch die richtige Schwunglinie.

■ Schlagen Sie fünf aufgereihte Bälle direkt hintereinander, gehen Sie immer einen kleinen Schritt nach vorn und setzen Sie den Schläger dabei nicht ab. So trainieren Sie den Schlagrhythmus und konzentrieren sich darauf, den Ball besser, aber nicht härter zu treffen.

■ Drehen Sie in der Ansprechposition den Rücken zum Ziel und versuchen Sie, den Ball direkt auf das Ziel zu schlagen. So schaffen Sie es, den Schlägerkopf im richtigen Moment freizugeben und den Ball von innen zu treffen.

■ Schwingen Sie den Schläger nur mit dem rechten Arm und schlagen Sie so ein paar Bälle, um ein Gefühl für die Bewegungen des rechten Arms zu bekommen.

Die meisten Slices starten links vom Ziel und machen dann im Flug eine Rechtskurve. Der Pullslice entsteht, wenn der Spieler versucht, den Schläger von der höchsten Position des Rückschwungs aus besonders schnell nach unten zu bringen. Die Hände, also auch der Schlägerkopf, kommen zu schnell vor den Körper, und die Schwungbewegung sieht aus wie eine 8. Wenn der Schläger den Ball trifft, beschreibt er eine Kurve von außen nach innen, wobei die Schlagfläche offen ist (vgl. Frage 73).

76 Wie gelingen Fade und Draw?

Oft wäre es schön, wenn der Ball eine kleine Kurve beschriebe, z.B. um eine Fahne direkt hinter dem Bunker anzuspielen, oder den Ball um einen Baum herumfliegen zu lassen, der im Weg steht. Gute Spieler können die Freigabe der Schlagfläche etwas verzögern und spielen dann einen Fade, oder sie rotieren die Arme bewusst stärker im Treffmoment, um einen Draw zu erzeugen. An der Ansprechposition ändert sich dabei nichts. Allerdings sind beide Schläge nicht leicht zu lernen und erfordern viel Training und Geduld.

Doch es gibt eine einfachere Methode, bewusste Fades und Draws zu spielen.

Draw: Schlagfläche zeigt zum Ziel, Körper ist rechts davon ausgerichtet.

■ Die Schlagfläche zeigt dorthin, wo der Ball landen soll.

■ Der Körper (Füße, Knie, Hüfte, Schultern) zeigt in die Richtung, in die der Ball starten soll – etwas links für den Fade und etwas rechts für den Draw.

■ Machen Sie einen normalen Schwung. Es ist nicht nötig, die Stellung der Hände im Treffmoment zu verändern oder die Bewegungen der Profis nachzuahmen.

■ Denken Sie daran: Je kürzer der Schläger ist, desto schwieriger ist es, mit dem Ball eine Kurve zu beschreiben, weil durch den Loft ein Backspin entsteht, der den seitlichen Drall aufhebt.

Fade: Schlagfläche zeigt zum Ziel, Körper ist links davon ausgerichtet.

77 Welcher Schläger eignet sich für den Chip bzw. Pitch?

Der Chip fliegt niedrig und rollt auf die Fahne zu. Man spielt ihn meist mit einem Eisen 6, 7 oder 8 aus einer guten Lage kurz vor dem Grün:

■ Enger Stand, Ausrichtung leicht links vom Ziel.

■ Stand, näher am Ball als sonst.

■ Der Ball liegt vor den Zehen des rechten Fußes, die Hände vor dem linken Oberschenkel (die Hände sind also vor dem Ball).

Chip mit dem Holz 3

Ja, das funktioniert, das haben schon Tiger Woods und Greg Norman bewiesen. Liegt der Ball nahe an einer Graskante, kann das Holz 3 ideal sein, weil der große Schlägerkopf leichter durch das Gras gleitet. Spielen Sie den Schlag wie einen normalen Chip. Der Ball liegt etwas weiter hinten im Stand, schwingen Sie locker aus den Schultern, halten Sie die Handgelenke steif. Die Hände müssen im Treffmoment vor dem Ball sein, Ihr Kopf sollte die ganze Zeit über ruhig bleiben.

78 Wie bekommen die Profis so viel Backspin auf den Ball?

Jeder Clubgolfer würde gerne mit so viel Backspin spielen können wie die Profis. Aber: Die Profis spielen andere Bälle – mit relativ weicher Schale und hohem Spinpotenzial bei kurzen Eisen – und dank ihrer Caddies sind die Rillen in den Schlagflächen ihrer Eisen immer makellos sauber. Mit geeigneten Bällen und sauberen Schlägern müssen Sie nur noch diese Tipps beherzigen:

■ Der Ball liegt in der Mitte des Stands, die Hände sind vor dem Ball.

■ Auf dem linken Fuß liegt etwas mehr Gewicht als auf dem rechten.

■ Greifen Sie den Schläger kurz, fast am unteren Ende des Griffs.

■ Schwingen Sie aus der Schulter, lassen Sie die Handgelenke möglichst steif. Die Hände sind beim Ansprechen und im Treffmoment vor dem Ball. Versuchen Sie nicht, den Ball mit der Schlagfläche möglichst hochzuheben, denn dann treffen Sie ihn leicht mit der unteren Kante, und er schießt über das Grün hinaus.

Der Pitch ist etwas länger – zwischen 35 und 70 m – und fliegt höher. Man spielt ihn mit einem Pitching Wedge oder einem Sand Wedge. Der Schläger sorgt für die hohe Flugkurve, Sie sind für die Weite zuständig, indem Sie einen langen Schwung ausführen. Schwingen Sie rhythmisch nach hinten und genauso weit nach vorn. So beschleunigen Sie korrekt durch den Ball hindurch und geben ihm etwas Backspin mit, damit er auf dem Grün rasch liegen bleibt.

■ Schwingen Sie kurz und druckvoll. Machen Sie einen dreiviertelten Rückschwung, kippen Sie die Handgelenke etwas früher als sonst und schwingen Sie relativ steil und aggressiv auf den Ball zu. Versuchen Sie aber nicht, den Ball nach oben zu heben.

■ Schwingen Sie druckvoll durch den Ball und verzögern Sie die Freigabe des Schlägerkopfs ein wenig.

Ein Durchschnittsgolfer wird es maximal schaffen, den Ball mit einem Eisen 7 oder einem noch kürzeren Eisen schnell stoppen zu lassen. Ein solcher Schlag mit einem Eisen 4 gelingt wohl nur Tiger Woods.

79 Was kann man gegen einen Hook tun?

Prüfen Sie erst Ihren Griff und Stand sowie die Ballposition. Wenn Sie alle vier Knöchel der linken Hand sehen können und die rechte Handfläche nach oben zeigt, ist der Griff zu stark und produziert wahrscheinlich einen Hook. Drehen Sie die linke Hand ein wenig nach links, sodass der Handrücken mehr zum Ziel zeigt. Legen Sie die rechte Hand weiter über den Griff, sodass Sie wenigstens einen Knöchel sehen können. Die Handfläche sollte nun zum Ziel zeigen.

Der Ball sollte kurz vor dem rechten Fuß liegen (beim Abschlag mit dem Driver), und Ihre Schultern und Füße sollten parallel links vom Ziel ausgerichtet sein. Wenn Sie noch immer Hooks schlagen, sind vielleicht Ihre Hände im Treffmoment zu aktiv. Die rechte Hand rollt über die linke und schließt die Schlagfläche, wodurch der Ball zu viel Drall erhält. Achten Sie darauf, dass im Treffmoment die rechte Handfläche in Richtung Ziel zeigt, und stellen Sie sich vor, dass die Ferse des Schlägers schneller am Ball ist als die Spitze.

Wenn die Schwunglinie des Schlägerkopfs nicht stimmt – und Sie den Ball von innen treffen –, stellen Sie beim Üben eine Plastikflasche etwa 10 cm innerhalb der Schwunglinie vor dem Ball auf. So schwingen Sie den Schläger automatisch auf einer etwas höheren Ebene. Die beste Übung ist jedoch, den Ball im Stand leicht bergab zu schlagen, denn dann kommt der Schlägerkopf nicht mehr zu weit von innen, und Sie schlagen viel eher einen Fade, bei dem der Ball sanft von links nach rechts fliegt.

80 Warum spielt man in den USA so oft den hohen Pitch und in Großbritannien eher einen Chip-and-Run?

Das liegt an der Art der Golfplätze. Ein britischer Linkscourse erfordert andere Schläge als ein typisch amerikanischer Parklandcourse (vgl. Frage 83). In den USA werden die Plätze und Grüns gut bewässert und sind deshalb vom Untergrund her weicher als viele britische Plätze. Außerdem sind sie meist so makellos gepflegt, dass man gut vorhersagen kann, wie sich der Ball nach der Landung verhalten wird.

In den USA wird fast jeder Schlag auf das Grün als hoher Pitch ausgeführt, der sehr schnell liegen bleibt. Das funktioniert aber auf den knochentrockenen Plätzen an der britischen Küste kaum, weil der Ball auf dem Fairway meist schon viel flacher liegt und es dann sehr schwer ist, mit dem Schläger gut unter den Ball zu kommen und ihm den nötigen Loft zu geben. Außerdem sind die Grüns härter, welliger und unberechenbarer, sodass es viel sinnvoller ist, den Ball zum Loch rollen zu lassen.

81 **Wie funktioniert der Lob?** Das kurze Spiel
wird um Klassen besser, wenn man es schafft, den Ball fast
senkrecht in die Luft zu spielen, damit er sanft auf dem Grün landet. Dazu
spielt man mit einem Lob Wedge mit einem Schlägerblattwinkel zwischen
58° und 64°, denn dieser Schläger ist dafür besser geeignet als das Sand
Wedge. Und so gelingt der Schlag:

- Offener Stand, Ball liegt vor der Innenkante des linkes Fußes.
- Das Gewicht ist gleichmäßig verteilt, die Knie sind etwas stärker gebeugt.
- Greifen Sie den Schläger kürzer als sonst.
- Machen Sie einen vollen Schwung, kippen Sie die Handgelenke relativ früh.

Konzentrieren Sie sich auf einen sauberen,
glatten Durchschwung durch den Ball. Der
Kopf bleibt die ganze Zeit ruhig, die Augen
sind immer auf den Ball gerichtet.

Aus einer guten Lage im Gras ist dieser
Schlag relativ leicht zu spielen. Liegt der
Ball aber auf einer harten Stelle, haben
Sie als Handicapspieler kaum eine Chance
auf einen guten Lob.

Keiner spielt den Lob so gut wie Phil Mickelson.

Meister des Lob Shot
Viele Zuschauer staunen nicht
schlecht, wenn sie Phil Mickelson
zum ersten Mal bei einem Lob Shot
beobachten. Er schafft es, den Ball
mit einem vollen Schwung etwa
10 m in die Luft zu heben und ihn
so sanft landen zu lassen, dass er ein
paarmal hüpft und direkt auf das
Loch zurollt, wobei der Ball insgesamt vielleicht nur 15 m zurücklegt.

Für diesen Schlag braucht man
natürlich viel Erfahrung, doch wir
alle können von Phil Mickelson lernen. Wichtig ist die korrekte Ansprechposition, danach muss man
nur noch mutig und aggressiv schlagen und die Handgelenke zum richtigen Zeitpunkt kippen.

82 **Was tun gegen getoppte Schläge?** Sehr viele getoppte Schläge passieren ausgerechnet beim ersten Abschlag, und gerade bei unerfahrenen Spielern gibt es dafür einen Hauptgrund – die Anspannung.

Der Griff ist zu fest, die Schultern sind angespannt, der Rückschwung ist überhastet und ruckartig. Es fehlt jeglicher Rhythmus, und der Schlag gleicht eher einem Peitschenhieb als einer fließenden Bewegung. Die Schwungebene ist meistens auch noch viel zu steil, sodass der Schlägerkopf keine Chance hat, den Ball mit der vollen Schlagfläche im richtigen Winkel zu treffen. Genau das passiert, wenn man den Ball toppt. Viele glauben zwar, das habe auch damit zu tun, dass der Kopf nach oben geht, doch das stimmt in den seltensten Fällen.

Atmen Sie vor dem Schlag einige Male tief durch und lockern Sie Ihre Hände und Arme. Greifen Sie den Schläger nicht zu fest. Wenn Sie am höchsten Punkt des Rückschwungs angelangt sind, versuchen Sie nicht, den Ball möglichst schnell zu treffen, sondern schwingen Sie ruhig nach unten und durch den Ball hindurch. Stellen Sie sich einfach vor, Sie müssten den Ball nur mit dem Schlägerkopf wegfegen, nicht ihn mit voller Kraft treffen.

83 Wie spielt man einen Linkscourse, wenn man andere Plätze gewohnt ist?

Wenn amerikanische Golfer zum ersten Mal in Großbritannien spielen, sind sie oft sehr erstaunt, wie schwierig Linksplätze zu spielen sind. Sie machen so ganz andere Erfahrungen als auf den heimischen Parklandplätzen mit ihrem dichten Baumbestand, den künstlichen Wasserhindernissen und den optimal gepflegten Fairways und Grüns. Man muss zuerst akzeptieren, dass Linkscourses nicht unbedingt „schön" sind, sondern es sich oft um karge Landschaften handelt, die extremen Witterungseinflüssen ausgesetzt sind (vgl. Frage 18). Die Dünen hat Mutter Natur geschaffen, die Menschen haben nur die Bahnen angelegt und sich dabei von der natürlichen Umgebung leiten lassen und möglichst wenig verändert.

Wenn man das weiß, kann man sich gut den idealen Linksgolfer vorstellen. Er hat viel Fantasie und kann sich Schläge vorstellen, die ihm der eigene Pro nicht beigebracht hat. Er beherrscht das Spiel mit dem Wind und gegen den Wind und hat auch flache, weite Schläge im Repertoire. Er kann strategisch spielen und zieht nicht automatisch bei jedem Abschlag den Driver aus dem Bag. Er konzentriert sich auf jeden einzelnen Schlag, weil er weiß, dass schon die geringste Nachlässigkeit den Ball in einem Topfbunker mitten im Fairway landen lassen kann.

Last, but not least, akzeptiert er verspringende Bälle als Teil des Spiels.

84 Wie hält man den Ball bei Wind niedrig?

Niedrige Schläge sind besonders wichtig, wenn man Küsten- oder Linksplätze spielt oder im Süden von Texas beheimatet ist, wo Spieler wie Ben Hogan, Justin Leonard, Ben Crenshaw und Tom Kite lernten, den Ball unter böigen Bedingungen kontrolliert zu spielen. Die Schläge sind eigentlich recht einfach, doch viele Golfer kämpfen damit, weil sie den Ball viel zu hart schlagen wollen. Dadurch entsteht nämlich ein Backspin, und der treibt den Ball in die Höhe, was Sie ja eigentlich gerade vermeiden wollen.

Als Erstes braucht man den richtigen Schläger. Als Faustregel gilt: Pro 15 km/h Wind braucht man eine Schlägerlänge mehr. Wenn Sie also einen Schlag von 135 m sonst mit einem Eisen 6 ausführen würden, brauchen Sie bei einer Windstärke von 30 km/h ein Eisen 4. Wählen Sie auf alle Fälle einen Schläger, der Ihnen die nötige Länge gibt, ohne stärker schlagen zu müssen. Und so funktioniert es:

■ Greifen Sie den Schläger etwas kürzer als normal, aber genauso leicht.

■ Der Ball liegt im Stand etwas weiter links, denn so bleiben die Hände vor dem Ball und nehmen dem Schläger etwas Loft.

■ Auf dem vorderen Fuß liegt etwas mehr Gewicht als auf dem hinteren.

■ Machen Sie einen dreiviertelten Rückschwung, damit Sie den Schlägerkopf gut
kontrollieren können. Arme und Hände
bleiben locker, schwingen Sie konzentriert nach unten auf den Ball zu.

■ Halten Sie die Hände im Treffmoment
vor dem Ball, strecken Sie die Arme in
Richtung Ziel, schwingen Sie nicht ganz
bis in die sonst übliche Endposition
durch. Besonders wichtig: Das Tempo ist
in jeder Phase gleich, der Schwung
rhythmisch.

*Beim niedrigen Schlag gegen den Wind schwingt
man nicht bis zur Endposition durch.*

85 **Was ist ein Shank, und was tut man dagegen?** Der Shank ist der peinlichste Fehler überhaupt. Er bricht dem unglücklichen Spieler das Herz und veranlasst die Mitspieler, verschämt in die andere Richtung zu schauen. Beim Shank trifft man den Ball mit der Schlägerkopffassung, und er fliegt unkontrolliert nach rechts weg.

Dieser Fehler passiert, wenn Sie zu nahe am Ball stehen, denn dann winkeln Sie Ihren linken Arm zwangsläufig leicht ab. Die Zentrifugalkräfte, die beim Abschwung

Beim Shank steht der Spieler meist zu nahe am Ball.

entstehen, strecken den Arm, wodurch der Schlägerkopf nach vorne, schnellt und es Ihnen unmöglich macht, den Ball square zu treffen.

Ein Shank kann auch passieren, wenn Sie beim Ansprechen zu viel Gewicht auf den Fersen haben. Während des Schwungs verlagern Sie dann nämlich Ihr Gewicht unbewusst auf die Zehen, und auch dann schnellt der Schlägerkopf nach vorn.

Wenn Ihnen oft Shanks passieren, platzieren Sie beim Ansprechen bewusst die Spitze des Schlägerkopfs hinter den Ball, und stellen Sie sich vor, Sie wollten eine ganz bestimmte Vertiefung im rechten unteren Viertel des Balls treffen. Manchen hilft es auch, sich vorzustellen, direkt hinter dem Ball läge ein Holzbrett, das parallel zur Schlagrichtung ausgerichtet ist.

Der Schlag entlang der Brettkante führt den Schlägerkopf in die korrekte Richtung und hilft gegen den Shank.

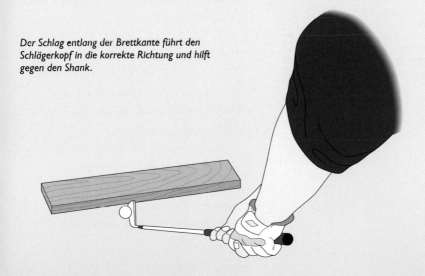

86 Wie schlägt man vom Grünbunker auf das Grün?

Wie schlägt man vom Grünbunker auf das Grün? Für gute Spieler ist dieser Schlag kein Problem, Neulinge haben dagegen regelrecht Angst davor. Dabei muss man nur die Ansprechposition leicht verändern, um den Ball aus dem Sand zu befördern. Unerfahrene Spieler stellen sich im Bunker wie zu einem normalen Schlag auf und wollen den Ball auf das Grün spielen, ohne den Sand mit dem Schläger zu berühren oder indem sie möglichst viel Sand herausschlagen. Keine dieser beiden Methoden funktioniert richtig.

So schlagen Sie richtig aus dem Grünbunker (Entfernung ca. 20 m):

Spiegelei

Das Ball hat sich im Sand eingegraben, man weiß nicht, wie man ihn beim Schlag kontrollieren soll. Er wird keinen Backspin annehmen, also wird er relativ weit laufen. Sie haben Glück, wenn er überhaupt auf dem Grün landet.

Für diesen Schlag ändern Sie die Ansprechposition: Stellen Sie sich square zum Ziel und schließen Sie die Schlagfläche leicht. Schlagen Sie aggressiv, damit sich der Ball überhaupt bewegt. Winkeln Sie die Handgelenke früh ab, schlagen Sie einige Zentimeter vor dem Ball kräftig in den Sand und schwingen Sie durch. Die übliche Endposition brauchen Sie aber nicht zu erreichen.

■ Der Ball liegt vor der Innenkante des linken Fußes.

■ Richten Sie den Körper 25° bis 30° links vom Ziel aus.

■ Die Schlagfläche des Sand Wedge zeigt zum Ziel (ist offen im Verhältnis zum Stand). Greifen Sie erst dann den Schläger richtig, denn ansonsten rotieren die Hände im Treffmoment, und die Flugkurve wird zu niedrig.

■ Graben Sie sich mit den Füßen leicht in den Sand, dann stehen Sie stabiler.

■ Etwa 60% des Gewichts liegen auf dem vorderen Fuß.

■ Die Knie sind stärker gebeugt als sonst.

Schlag aus dem Bunker: Die Schlagfläche zeigt zum Ziel, der Körper ist links davon ausgerichtet.
Schlagen sie kurz vor dem Ball in den Sand und schwingen Sie durch.

Trainieren Sie diese Position, bis sie sich natürlich anfühlt. Schwingen Sie nun den Schläger entlang der Linie Ihrer Füße zurück, lassen Sie die Knie gebeugt. Winkeln Sie die Handgelenke wie gewohnt ab und schlagen Sie aggressiv einige Zentimeter vor dem Ball in den Sand. Die Schlagfläche zeigt nach oben, bis der Schwung beendet ist.

Nehmen Sie bei dem Schlag nur wenig Sand mit und schwingen Sie so weit durch, wie Sie zurückgeschwungen haben. Bei nassem hartem Sand gleitet ein Pitching Wedge mit seiner schärferen Unterkante besser durch.

87 Wie spielt man aus dem Fairway-bunker?

Wenn die Lage nicht wirklich optimal ist, nehmen Sie das Sand Wedge und schlagen Sie den Ball sicher aufs Fairway. Liegt der Ball gut und ist die Bunkerkante flach, sind die Chancen, das Grün zu erreichen, genauso gut wie vom Fairway aus. Auch hier ist wichtig, dass Sie die richtige Ansprechposition einnehmen:

- Nehmen Sie eine Schlägerlänge mehr, als für die Distanz sonst üblich.
- Der Ball liegt im Stand in der Mitte.
- Das Gewicht ist gleichmäßig verteilt.
- Greifen Sie den Schläger etwas kürzer.
- Stehen Sie ein wenig aufrechter als sonst.

Der Schwung muss wirklich ruhig sein, sonst könnten Sie das Gleichgewicht verlieren. Schwingen Sie relativ flach und nehmen Sie möglichst wenig Sand mit. Der Kopf bleibt während des gesamten Schwungs ruhig, denn ansonsten schlagen Sie zu tief in den Sand, und der Ball fliegt nicht weit genug.

88 — Wie wichtig ist das taktische Spiel wirklich?

Jeder gute Golflehrer wird Ihnen sagen, dass Sie leicht fünf Schläge sparen könnten, wenn er mit Ihnen auf die Runde ginge und Ihnen immer sagen würde, welchen Schläger Sie nehmen sollen. Beim taktischen Spiel geht es darum, die eigenen Fähigkeiten richtig einzuschätzen und auf dieser Basis die richtige Schlägerwahl zu treffen.

Stellen Sie sich vor jedem Schlag diese Fragen: Wie gut liegt der Ball? Wie weit ist es zum Ziel? Wo soll der Ball landen? Ist der direkte Weg sehr riskant? Wie beeinflusst der Wind den Ballflug? Die Antworten sagen Ihnen, welchen Schläger Sie brauchen, in welche Richtung der Ball starten und wo er landen sollte. Erst dann beginnen Sie mit Ihrer Schlagroutine.

Leider nehmen sich Golfer gerne zu viel vor. Viele schlagen auf einem kurzen Par 4 oder auf Bahnen mit engen Fairways immer mit dem Driver ab, auch wenn ein Sicherheitsschlag mit einem Eisen 4 schlauer wäre.

Manchmal versuchen sie, ein Dogleg abzukürzen, auch wenn ein gerader Schlag das Fairway entlang leichter wäre und man dann einen etwas längeren zweiten Schlag hätte. Sie riskieren lange Schläge über das Wasser, die sich auch Tiger Woods zweimal überlegen würde. Wenn sie den Ball einmal vorlegen, dann achten sie nicht darauf, welche Entfernung noch zum Ziel bleibt. Und nur wenige machen sich Gedanken, auf welche Seite des Fairways oder des Grüns sie spielen sollten. Ob sie bergauf oder bergab putten, interessiert viele auch nicht.

Durch eine gute Taktik können Spieler mit einem hohen Handicap Bahnen mit 5 oder 6 Schlägen spielen, für die sie sonst 9 oder 10 brauchen würden. Und auch bessere Spieler machen aus einer 6 öfter mal eine 5 oder 4, wenn sie taktisch spielen – um ein paar Trainingsstunden auf der Driving Range kommt aber niemand herum!

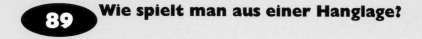

89 Wie spielt man aus einer Hanglage?

Bergauf

*Wenn man bergauf spielt, verschafft man
sich einen „ebenen" Stand, d.h., die
rechte Schulter geht leicht nach unten,
die linke nach oben, sodass die Schulterlinie parallel zum Hang verläuft und die
Wirbelsäule im rechten Winkel dazu.
Der Ball liegt im Stand etwas weiter
links, und man braucht eine bis zwei
Schlägerlängen mehr. Der Schwung ist so
locker und flüssig wie immer.*

Bergab

*Dieser Schlag ist schwieriger, braucht
mehr Übung. Passen Sie die Schulterlinie
an, sodass die Wirbelsäule im rechten
Winkel zum Hang steht. Der Ball liegt im
Stand mittig, man braucht eine bis zwei
Schlägerlängen weniger als sonst.
Schwingen Sie wie üblich zurück und
achten Sie darauf, dass die Hände auch
im Treffmoment weit unten bleiben. Der
Körper geht erst dann leicht nach oben,
wenn der Ball schon weggeflogen ist.*

Ball liegt oberhalb der Füße

*Fassen Sie den Schläger kürzer, sodass die
Schlägersohle flach auf dem Boden aufliegt.
Um im Gleichgewicht zu bleiben, müssen Sie
etwas aufrechter stehen, das Gewicht liegt
leicht vorn. Der Ball liegt im Stand in der Mitte;
zielen Sie etwas nach rechts, weil der Ball eine
kleine Linkskurve machen wird.*

Ball liegt unterhalb der Füße

*Die Knie sind weiter gebeugt als sonst, das
Gewicht liegt weiter hinten. Der Ball wird
eine Kurve von links nach rechts machen,
also zielen Sie etwas weiter nach links. Nehmen Sie eine Schlägerlänge mehr als sonst
und greifen Sie den Schläger direkt am
Griffende. Schwingen Sie ruhig und nicht zu
kraftvoll – ansonsten kippen Sie vielleicht
nach vorn über.*

90 Wie hoch ist die Schlägerkopf-geschwindigkeit im Treffmoment?

Tiger Woods, einer der Longhitter unter den Profis, erreicht mit einem Driver eine Geschwindigkeit von ca. 200 km/h. Der Kanadier Jackson Zuback, ehemaliger Weltrekordhalter für den längsten Drive, schaffte mit 270 km/h eine phänomenale Geschwindigkeit, die nur die wenigsten Golfer je erreichen werden. Bei dieser Schlägerkopfgeschwindigkeit fliegt der Ball mit fast 260 km/h vom Schläger weg.

Golfprofis erreichen im Durchschnitt mit dem Driver etwa 180 km/h. Je kürzer der Schläger ist, desto wichtiger wird für den Spieler die Ballkontrolle, sodass die Schwunggeschwindigkeit ganz natürlich geringer wird. Mit dem Pitching Wedge erreichen Golfprofis im Schnitt etwa 150 km/h.

Und Clubspieler? Ein Spieler mit Handicap 9 erreicht mit dem Driver zwischen 150 und 160 km/h, wobei der Ball dann mit 225 km/h die Schlagfläche verlässt, und mit dem Pitching Wedge etwa 130 km/h. Bei einem Spieler mit Handicap 18 sind es nur noch etwa 140 km/h mit dem Driver und ca. 115 km/h mit dem Wedge.

Laura Davies, die als Longhitterin bei den Damen bekannt ist, erreicht mit dem Driver eine Geschwindigkeit von fast 180 km/h und mit dem Wedge etwa 145 km/h. Im Durchschnitt schafft eine Golferin aber nicht mehr als 130 km/h mit dem Driver und um die 110 km/h mit dem Wedge.

Man sollte sich jedoch immer wieder ins Gedächtnis rufen, dass ein weiter Abschlag nicht allein von der Geschwindigkeit des Schlägerkopfs abhängt. Viel wichtiger ist es, dass die Schlagfläche square zum Ball ausgerichtet ist und man den Ball optimal im Sweetspot des Schlägers trifft.

91 Welche falschen Tipps erhält man am häufigsten?

Der Kopf darf sich nicht bewegen.

Dieser Klassiker unter den falschen Tipps kann zwei schlimme Nebenwirkungen haben. Er kann dazu führen, dass man das Gewicht genau falsch herum verlagert, also beim Rückschwung nach vorn anstatt auf das hintere Bein. Außerdem kann es sein, dass die Schultern kippen und nicht drehen, wodurch die Schwungebene viel zu steil wird. Versuchen Sie weder, den Kopf um jeden Preis ruhig zu halten noch ihn bewusst zur Seite zu bewegen. Wichtig ist, dass die Kopfhaltung bequem ist. Nehmen Sie das Kinn ein wenig nach links, denn dann lassen sich auch die Schultern leichter drehen.

Der linke Arm ist immer gestreckt.

Das verhindert jeden rhythmischen Schwung und kann zu Rückenproblemen führen. Wenn Sie Golfprofis beobachten, sehen Sie, dass der linke Arm am obersten Punkt des Rückschwungs leicht gebeugt ist. Auch hier gilt: Keine bewusste Bewegung, alles läuft natürlich ab.

Die Position im Treffmoment entspricht der Ansprechposition.

Ganz eindeutig nicht. Beim Ansprechen ist das Gewicht gleichmäßig verteilt, im Treffmoment liegen 80% des Gewichts auf dem vorderen Bein. Außerdem sind beim Ansprechen die Hüfte und die Schultern „parallel links" vom Ziel ausgerichtet, während sie im Treffmoment fast direkt zum Ziel zeigen sollten.

92 **Wie hält man den Putter?** Einen guten Schwung erreicht man nur, wenn man bestimmte Standardaspekte beachtet. Es gibt vieles, was man tun bzw. lassen sollte, und jeder Schwungstil sieht im Prinzip anders aus, doch ob ein Schlag gelingt, hängt davon ab, wie gut man die Grundlagen beherrscht.

93 **Kann man mit dem Driver auch vom Fairway schlagen?** Wenn sie auf einem langen Par 5 noch 250 m oder mehr vom Grün entfernt sind, greifen die besten Spieler schon mal zum Driver, wenn der Ball gut liegt. Normalsterbliche wie wir sollten das aber besser lassen.

Der Driver hat nur sehr wenig Loft, also erhält der Ball sehr leicht einen seitlichen Drall, der noch verstärkt wird, wenn der Schlägerkopf von außerhalb der Ziellinie auf den Ball trifft. Außerdem liegt der „Äquator" des Balls auf derselben Höhe wie der Schwerpunkt des

Beim Putten ist das etwas anders, denn hier gilt das Motto: „Alles ist möglich." Die meisten Golfer verwenden einen leicht veränderten Vardon-Griff, bei dem sich der Zeigefinger der oberen Hand aus dem Griff löst und über den Fingern der unteren Hand liegt. So verhindert man, dass sich die Handgelenke bewegen und man deshalb den Putt verzieht.

Padraig Harrington puttet „verkehrt".

Verkehrter Griff
Dieser Griff ist sehr beliebt, besonders bei Spielern außerhalb der USA. Nick Faldo (England), Padraig Harrington (Irland), Vijay Singh (Fidschi), Robert Allenby (Australien), Thomas Björn (Dänemark) und Bernhard Langer (Deutschland) sind mit diesem Griff sehr erfolgreich. Die Hände liegen umgekehrt am Schlägergriff – bei Rechtshändern liegt die linke Hand unten –, und meist haben alle zehn Finger Kontakt mit dem Schläger. So verläuft die Schulterlinie parallel zum Boden, und der lockere Pendelschwung, der sich perfekt zum Putten eignet, wird leichter.

Driverkopfs, wodurch eine sehr niedrige Ballkurve entsteht und der Ball keinen Backspin und somit keinen Auftrieb erhält.

Für einen guten Schlag muss der Ball hoch fliegen, was man nur mit einer extrem flachen Schwungebene des Drivers erreicht. Gräbt sich die Unterkante des Drivers in das Gras, geht jede Wirkung verloren. Falls Sie es doch versuchen wollen, sollte der Ball im Stand etwas weiter links liegen als auf dem Tee. Der Schläger muss den Ball am tiefsten Punkt der Schwungebene treffen und nicht in der Aufwärtsbewegung wie beim Abschlag. Schlagen Sie mit konstantem Tempo und nicht mit zu viel Kraft.

94 Welche Übungen machen den Körper flexibler und bringen mehr Weite?

Der durchtrainierteste Golfprofi, den es wohl je gab, ist der Südafrikaner Gary Player. Nicht sehr groß und auch nicht besonders kräftig gebaut, schlug er in seiner aktiven Zeit die Bälle weiter als die meisten Spieler seines Alters. Er spielte noch Profiturniere mit, als er schon weit jenseits der 60 war. Mit einigen Dehnungs- und Kräftigungsübungen trainierte er besonders seinen Rücken, die Beine und die Unterarme. Bei einer Übung verwendete er einen Schläger mit zusätzlichem Gewicht am Schlägerkopf, denn dadurch werden die für den Schwung wichtigen Muskeln besonders gekräftigt. Hier sind seine sechs Lieblingsübungen. Bei allen ist es wichtig, die Positionen so lang zu halten und zu wiederholen, wie es sich bequem anfühlt.

1. Schulterdehnung
Setzen Sie sich auf einen Stuhl, strecken Sie die Arme nach hinten und verschränken Sie die Finger. Der Kopf geht langsam nach vorn, die Arme nach oben in eine bequeme Position, dann 5 Sekunden halten.

3. Oberkörperdehnung
Setzen Sie sich auf einen Stuhl, die Füße zeigen nach vorn. Den Oberkörper langsam nach links drehen, bis Sie ca. 90° erreicht haben, und die Hände wie gezeigt an die Rückenlehne legen. Drehen Sie sich zurück in die Ausgangsstellung und dann in die andere Richtung.

2. Unterarmdehnung
Knien Sie sich hin, Handflächen auf den Boden, Finger zeigen zu den Knien. Lehnen Sie sich nach hinten, spüren Sie die Spannung in den Unterarmen und halten Sie die bequeme Position 10 Sekunden.

4. Rückendehnung
Knien Sie sich vor den Stuhl, beide Handflächen liegen auf der Sitzfläche. Drücken Sie die Schultern nach unten, bewegen Sie auch den Kopf leicht nach unten. 5 Sekunden halten.

Weiter auf der nächsten Seite

5. Hüftdrehung

Legen Sie sich auf den Boden, die Arme sind seitlich gestreckt. Winkeln Sie die Beine ab und heben Sie die Unterschenkel vom Boden ab. Legen Sie die angewinkelten Beine nun abwechselnd rechts und links vom Körper ab. Jeweils 5 Sekunden halten.

6. Körperstreckung

Legen Sie sich flach auf den Boden, die Arme über den Kopf gestreckt. Strecken Sie die Arme und Beine so weit wie möglich nach oben bzw. unten. 10 Sekunden halten, entspannen, dann wiederholen.

95 Wie gelingt ein guter Putt mit Break von links nach rechts?

Für viele Spieler ist ein Putt mit Break von links nach rechts besonders schwierig. Notah Begay, vierfacher Sieger auf der PGA-Tour, drückt sich ganz darum, indem der linkshändig puttet, also nie einen Putt mit Break von ihm weg ausführen muss. Doch solche Putts lassen sich auch einfacher einlochen.

Beim normalen Putt liegt der Ball im Stand leicht links von der Mitte. Bei einem Break von links nach rechts sollte er vor der Innenkante des linken Fußes liegen. Wenn Sie wollen, verlagern Sie Ihr Gewicht auch ein wenig nach links. Für den linkshändigen Golfer gilt natürlich das Gegenteil: Wenn Sie Probleme mit Breaks von rechts nach links haben, sollte der Ball vor der Innenkante des rechten Fußes liegen und ihr Gewicht stärker auf dem rechten Bein. Sobald sich der Stand natürlich anfühlt, sollten Sie Ihrem Puttgefühl vertrauen. Wie bei jedem Putt muss auch hier der Kopf absolut ruhig bleiben.

Wenn Sie Probleme mit Bergabputts haben, versuchen Sie, den Ball mit der Spitze des Putters zu treffen. Dadurch wird die Treffgeschwindigkeit geringer, und auf den Ball wird weniger Energie übertragen, als wenn Sie ihn mit dem Sweetspot treffen.

96 Wie verbessert man lange und kurze Putts?

Kurze Putts

Wenn man Putts aus 50 cm bis 150 cm sicher einlochen kann, gewinnt das Selbstbewusstsein enorm. Gehen Sie also nicht erst einige Minuten vor dem ersten Abschlag auf das Puttinggrün. Trainieren Sie das Putten so oft wie möglich und machen Sie folgende Übungen:

■ Führungsschläger. Legen Sie zwei Schläger parallel auf das Grün, die knapp rechts bzw. links vom Loch ausgerichtet sind. Legen Sie den Ball dazwischen und putten Sie. Sie werden viele Bälle einlochen, doch auch wenn Sie nicht treffen, wird sich die Puttbewegung – gerade nach hinten, gerade durch den Ball – enorm verbessern.

Führungsschläger helfen bei kurzen Putts.

■ Pendel. Klemmen Sie einen Schläger unter die Arme, sodass er vor der Brust liegt. Machen Sie nun einige kurze Putts, wobei sich der Schläger nach oben und unten und nicht zur Seite bewegen sollte. Das fördert die ruhige Pendelbewegung und führt dazu, dass sich der Putterkopf die richtige Linie entlangbewegt und im richtigen Moment nach oben und unten geht.

■ Ball ins Loch schieben. Kurze Putts ohne Rückschwung machen Ihnen bewusst, wie wichtig es ist, den Schläger bis zum Treffmoment zu beschleunigen, und zwingen Sie, die Schlagfläche immer square zum Ziel auszurichten.

Lange Putts

Auch wenn man es schafft, lange Putts aus 15 m und mehr regelmäßig zu lochen, wächst das Selbstbewusstsein enorm. Es geht hier zuerst um die

Putts nur mit der rechten Hand fördern die flüssige Bewegung und verbessern Ihre langen Putts.

Weiter auf der nächsten Seite

Geschwindigkeit. Viele Spieler verpassen das Loch seitlich selten um mehr als 30 cm, lassen den Putt aber insgesamt zu kurz oder schießen den Ball weit über das Loch hinaus. So schätzen Sie die Entfernung richtig ein:

■ Üben Sie das Putten aus unterschiedlichen Distanzen, zuerst 1,5 m, dann 5 m und dann 8 m etc. und wechseln Sie des Öfteren, also einen kurzen Putt, danach einen langen etc. So vermeiden Sie es, dass Sie sich zu sehr auf eine Entfernung konzentrieren.

97 **Woher weiß man, wie groß der Break sein wird?** Genauso wichtig wie der Putt selbst ist die Fähigkeit, das Grün „lesen" zu können. Der Ball wird nie direkt ins Loch rollen, wenn Sie nicht abschätzen können, wie schnell das Grün ist und wie groß der Break sein wird. Leider gibt es da keine verlässliche Methode. Manchen hilft das Anvisieren mit dem Putter (siehe rechts), anderen nicht. Die Fähigkeit des richtigen Abschätzens entwickelt sich erst im Lauf der Zeit und hängt auch vom eigenen Geschwindigkeitsempfinden ab.

Break und Geschwindigkeit sind eng miteinander verbunden. Je schneller der Ball, desto gerader sein Weg. Einen Putt mit großem Break zu lochen braucht deshalb die richtige Kombination aus Richtung und Geschwindigkeit. Eine gute Strategie ist es, immer möglichst gerade zu putten. Stellen Sie zuerst fest, wo der Break am größten ist und richten Sie dann den Schlägerkopf und Ihren Körper auf dieses Ziel aus. Spielen Sie den Ball genau in diese Richtung und lassen Sie das schräge Grün den Rest erledigen.

Denken Sie daran: Ein Ball, der von oben auf das Loch zurollt, hat die Chance hineinzufallen; ein Ball, der an der unteren Kante vorbeirollt, nicht.

■ Strengen Sie Ihre Fantasie an. Wenn Sie einen langen Putt vor sich haben, stellen Sie sich vor, das Loch sei so groß wie der Deckel Ihrer Mülltonne, denn so sinkt der Druck. Bleibt der Ball im Radius des imaginären Deckels liegen, wird der kurze zweite Putt fast sicher gelingen. Denken Sie daran: je länger der Putt, desto länger der Rück- und Durchschwung. Putten Sie immer mit derselben Geschwindigkeit und versuchen Sie nicht, bei längeren Putts mehr Kraft aufzuwenden.

Senkbleimethode

Gehen Sie hinter dem Ball mit Blickrichtung auf das Loch in die Hocke. Halten Sie den Putter unten am Griff und lassen Sie ihn locker herabhängen. Schließen Sie ein Auge und richten Sie das untere Schaftende so aus, dass es in Ihrer Blickachse direkt vor dem Ball liegt.

Schauen Sie nun den Schaft entlang nach oben und stellen Sie fest, wie seine Position im Vergleich zur Fahnenstange ist. Steht die Fahne rechts, bricht der Ball in dieser Richtung. Je weiter die Fahne vom Schaft entfernt zu sein scheint, desto größer ist der Break.

Curtis Strange beim Anvisieren mit dem Schläger.

98 **Was sind „Yips", und was kann man dagegen tun?** Unter Yips leiden meistens erfahrene Spieler. Die Angst, kurze Putts nicht einlochen zu können, lässt Arme und Schultern verspannen, wodurch beim Putten ein unfreiwilliges Zucken entsteht. In schweren Fällen bleibt der Spieler wie gelähmt über dem Ball stehen, unfähig den Schläger zurückzuschwingen. Er gibt dem Ball dann einen unkontrollierten Schubs und der Ball spritzt schnell davon.

Unter diesen Zuckungen litt der legendäre amerikanische Spieler Sam Snead, und auch Davis Love III. hat damit zu kämpfen. Snead erfand des-

99 **Welcher bekannte Spieler hat den sonderbarsten Puttstil?** Jeder, der einen Langschaftputter verwendet, ist ein heißer Kandidat (vgl. Frage 137), doch der Mann mit dem sonderbarsten Puttstil ist der Japaner Isao Aoki der auch heute, jenseits der 60, noch als einer der besten Putter der Welt gilt.

Aoki beugt sich sehr weit nach vorn und lässt die Putterspitze einige Zentimeter über dem Grün schweben. Dann schlägt er den Ball mit einer kurzen, ruckartigen Bewegung der Handgelenke und stoppt den Schläger gleich nach dem Treffmoment. Der Putter kommt dabei so steil von oben, dass man sich wundert, warum der Ball nicht in die Luft fliegt.

Diesen Stil findet man in keinem einzigen Lehrbuch, doch bei Aoki funktioniert er schon seit über 30 Jahren bestens. Nachahmen sollte man das jedoch nicht!

Der Japaner Isao Aoki puttet ungewöhnlich, aber zuverlässig.

halb seinen berühmten seitlichen Stand beim Putten, und Love III. wirft nur einen kurzen Blick auf das Loch und bringt den Putt rasch hinter sich.

Wie so oft beim Golfen liegt das Geheimnis auch hier darin, die Spannung abzubauen. Greifen Sie den Putter nicht zu fest und experimentieren Sie mit unterschiedlichen Griffweisen, um eine Bewegung der Handgelenke zu vermeiden. Schauen Sie nicht direkt auf den Ball, sondern auf den Schlägerkopf oder einen anderen Teil des Schlägers. Nehmen Sie sich auch vor, nur kurz zum Loch zu schauen und dann zügig zu putten. Es kann auch hilfreich sein, wenn Sie einige Zeit einhändig putten.

Andere Spieler

Mark Calcavecchia hält den Putter mit dem Daumen und Zeigefinger der rechten Hand fest, als ob er ihn mit einer Klaue greifen würde. Auch Chris DiMarco hat einen ganz eigenen Stil: Er greift den Putter korrekt mit der linken Hand und legt kurz vor dem Schlag die rechte Hand so über den Schlägergriff, dass er fast den ganzen Handrücken sehen kann.

Meister der sonderbaren Puttstile ist aber zweifellos Bernhard Langer, der schon alles Mögliche versucht hat, um die Yips loszuwerden. Er hat als einer der ersten Europäer den „verkehrten" Griff versucht, doch als auch das nichts half, entwickelte er eine ganz besondere Methode: Er greift den Schläger mit der linken Hand dort, wo der Griff in den Schaft übergeht, und drückt dann mit der rechten Hand den oberen Teil des Griffs gegen die Innenseite des linken Unterarms. Dadurch verhindert er jede Bewegung der Handgelenke und führt den Putt nur aus den Schultern aus.

100 Wie bereitet man sich auf die Runde vor?

Man muss nur die Golfprofis beobachten, dann weiß man, wie das geht. Sie verdienen mit den Turnieren ihren Lebensunterhalt und überlassen deshalb nichts dem Zufall.

Tourspieler sind mindestens eine Stunde vor dem Start auf dem Übungsgelände. Nach einigen Dehnübungen schlagen sie ein paar Bälle mit dem Sand Wedge, wobei sie nur einen halben Rückschwung machen und den Ball nicht weiter als etwa 50 m schlagen. Erst nachdem die Muskeln etwas aufgewärmt sind, schlagen sie etwas weiter. Nach zehn vollen Schlägen bis auf ca. 90 m nehmen sie vielleicht ein Eisen 8 und üben verschiedene Schläge. Tiger Woods schlägt z.B. mit jedem Schläger fünf Draws, fünf Fades und fünf gerade Schläge.

Golfprofis trainieren zuerst mit einigen Eisen (Wedge 8, 6, 4) und erst dann mit dem Driver, mit dem sie fünf oder sechs Schläge machen. Anschließend kommt meist das Holz 3 für einige Schläge direkt vom Boden. Danach kommen erneut die Eisen, aber in umgekehrter Reihenfolge bis hin zum Sand Wedge. Zum Schluss üben sie ein, zwei Schläge, die sie beim Turnieranfang brauchen – besonders den ersten Abschlag.

Profis arbeiten direkt vor einer Runde nie an der Schwungtechnik und versuchen auch nicht, auf der Driving Range neue Weitenrekorde aufzustellen. Stattdessen bereiten sie ihren Körper auf die Runde vor und versuchen, ihren Rhythmus zu finden. Danach gehen sie zum Chippingbereich und spielen etwa 10 Minuten lang nur kurze Schläge – einige Bunkerschläge, hohe Pitches, kurze Chips. Zum Schluss verbringen sie 5 bis 10 Minuten auf dem Übungsgrün und gehen einige Minuten vor Turnierstart locker und entspannt zum ersten Abschlag.

101 Was tun gegen die Nervosität am ersten Abschlag?

Viele gute Spieler wollen ihre Nervosität am ersten Abschlag gar nicht loswerden, denn ein bisschen Lampenfieber hilft dabei, sich besser zu konzentrieren. Viele Amateure haben jedoch regelrecht Angst davor und versagen deshalb auch sehr oft.

Meist kommt die Nervosität daher, dass sich viele Amateure vor der Runde überhaupt nicht aufwärmen und einspielen. Sie gehen kalt und steif zum ersten Abschlag und haben kaum eine Chance auf einen runden Schwung. Und das wissen sie selbst! Ein Golfprofi ist am ersten Abschlag entspannt und hat seinen Rhythmus schon gefunden.

Also schlagen Sie zuerst ein paar Bälle, auch wenn nur ein Übungsnetz vorhanden ist. Dehnen Sie die Muskeln und bereiten Sie sich auf die körperliche Anstrengung vor. Gehen Sie rechtzeitig zum ersten Abschlag und überlegen Sie sich vorher, wie Sie schlagen werden. Wählen Sie ein bestimmtes Ziel und konzentrieren Sie sich darauf. Wenn Sie an der Reihe sind, machen Sie Ihre übliche Routine, atmen Sie tief durch und denken Sie dabei immer an ein gutes Schlagergebnis.

102 In welchem Alter fängt man idealerweise an?

Tiger Woods hatte mit 18 Monaten den ersten Golfschläger in der Hand. Der war zwar aus Plastik, und er durfte damit nur im Haus spielen, doch bildlich gesprochen kam der Ball da schon ins Rollen. Woods ist aber die große Ausnahme. Es war sein Schicksal, einer der besten Golfer der Welt zu werden, und deshalb musste er schon so früh beginnen. Ihr Schicksal ist wahrscheinlich ein anderes, doch wenn Sie beständig Ergebnisse unter 80 erzielen wollen, sollten Sie schon vor Ihrem 20. Lebensjahr mit dem Golf beginnen.

Der Golfschwung ist relativ schwierig, denn man setzt dabei Muskeln ein, die man sonst kaum verwendet bzw. für ganz andere Bewegungen braucht. Es zahlt sich aus, den richtigen Schwung schon in jungen Jahren zu lernen, wenn der Körper fit und flexibel ist. Der Amerikaner Larry Nelson war schon 21, als er mit dem Golfspiel anfing, und doch gewann er drei Majors – doch nicht jeder ist so talentiert wie er.

Viele begeisterte Golfer schleppen ihre Kinder zum Golflehrer ihres Clubs, was im Prinzip nicht schlecht ist, denn er zeigt ihnen, wie man den Schläger richtig greift, sich korrekt zum Ball stellt und den Schläger ruhig und rhythmisch schwingt.

Allerdings wird die golferische Entwicklung der Kinder enorm gebremst, wenn sie mit den abgelegten Schlägern ihrer Eltern spielen sollen, denn die sind für Kinder viel zu schwer. Auch wenn man die Schäfte kürzt, tut man ihnen keinen Gefallen, denn die Schläger werden dadurch zu steif und sind noch schwerer zu spielen.

Am einfachsten gelingt der Einstieg, wenn Sie Ihr Kind zu einem speziellen Schnupperkurs für Kinder schicken – erkundigen Sie sich einfach bei Ihrem Club oder im Golfverband.

103 Haben Topgolfer auch ihre Lieblings-schläge?

Wirklich gute Golfer beherrschen jeden Schlag, egal ob das ein niedriger Draw oder ein hoher Fade ist, doch die meisten konzentrieren sich auf einen bestimmten Schlag und spielen ihn, wann immer das geht.

Der Schotte Colin Montgomerie ist z.B. berühmt für seinen Fade. Er beherrscht jeden Schlag aus dem Lehrbuch – deshalb hat er die europäische Geldrangliste auch sieben Jahre in Folge angeführt –, doch am wohlsten fühlt er sich mit diesem Schlag von links nach rechts, mit dem er das Fairway fast immer am optimalen Punkt trifft.

Der Waliser Ian Woosnam dagegen liebt den Draw. Er ist um einiges kleiner als seine Konkurrenten, schwingt also automatisch flacher und ist deshalb für den Draw geradezu prädestiniert. Woosnam ist ein sehr kraftvoller Spieler – er hat als Junge nicht umsonst auf der Farm seiner Eltern mitgearbeitet – und gibt dem Ball mit dem Draw die Möglichkeit, nach dem Landen noch relativ weit zu rollen. Zu Recht ist Woosnam einer der Longhitter auf der Tour.

Der Südafrikaner Bobby Locke spielte fast alle seine vollen Schläge als sehr ausgeprägten Hook. Er richtete sich immer extrem weit nach rechts aus, schickte den Ball aber durch seine zuverlässige Schlagtechnik meist doch in Richtung Ziel.

Sam Snead,
der elegan-
teste Spieler
aller Zeiten.

104 Wer hat den elegantesten Golf-schwung aller Zeiten? Der bisher erfolgreichste

Golfer der Welt ist Jack Nicklaus, doch das heißt nicht, dass er auch den elegantesten Schwung hat. Für gute Ergebnisse und Siege bei Turnieren braucht man mehr als einen runden Schwung. Das kurze Spiel, das takti-sche Vorgehen und der Wille zum Erfolg sind für jedes gute Ergebnis min-destens genauso wichtig.

Den Schwung von Jack Nicklaus findet man in keinem Lehrbuch. Zu Beginn seiner Karriere entfernte er beim Rückschwung den rechten Ellbo-gen viel zu weit vom Körper, und auch heute hebt er die linke Ferse viel zu weit vom Boden ab, wenn er zum Abschwung ansetzt. Seine Technik ist für junge Spieler gewiss kein Vorbild.

Viele Experten halten Sam Snead für den elegantesten Spieler aller Zei-ten. Mit seinem unkomplizierten Schwung gewann er auch mit Mitte 50 noch viele Turniere und beendete sogar die USPGA Championship 1974 als Dritter – im Alter von 62 Jahren. Sein Schwung war so elegant, sein Tempo so flüssig, dass ein Konkurrent ein-mal sagte: „Er stellt sich einfach hin und ab, dann ist alles ein Kinderspiel."

Der Engländer Nick Faldo, der selbst einen sehr eleganten Schwung hat, erwies Snead einmal die besondere Ehre, indem er ihn beim Üben auf der Driving Range mit der Videokamera aufnahm, um daheim sei-nen Schwung genau studieren zu können.

Platz 2 in Sachen Eleganz
Dieser gehört zweifellos Gene Littler, dem Sieger der US Open 1961. Als der große Gene Sarazen ihn zum ersten Mal beobachtete, sagte er: „Dieser Junge hat den perfekten Schwung – wie Snead …, nur besser."

Er war so elegant, dass ihn seine Konkurrenten „Gene the Machine" tauften. Hätte er sich mit dem Leben als Golfprofi bes-ser anfreunden können, hätte er sicher mehr als nur 29 Siege auf der PGA-Tour errungen.

105 Hat sich der Golfschwung im Laufe der Zeit stark verändert?

Harry Vardon, sechsmaliger Sieger der British Open, gilt als der Vater des modernen Schwungs. Vor seiner Zeit – er gewann seine erste Meisterschaft 1896 – war der Golfschwung meist ein unkoordiniertes Schlagen nach dem Ball. Man hielt den Schläger in beiden Händen, die Daumen rechts und links vom Griff, fast wie bei einem Baseballschläger. Grund dafür war das Material jener Zeit, denn die Schlägerschäfte bestanden aus extrem flexiblem Eschen- oder Haselnussholz und der Sweetspot der Schläger war winzig.

Vardon brachte die große Veränderung: Sein überlappender Griff führte zu einem flüssigen, eleganten Schwung. Er war einer der ersten Spieler, der die Hände einen Bruchteil einer Sekunde vor dem Schlägerkopf nach hinten bewegte und so beim Abschwung die Geschwindigkeit des Schlägerkopfs noch steigern konnte. Die Schlagfläche öffnete sich beim Rückschwung, war aber im Treffmoment wieder square zum Ziel ausgerichtet. Bobby Jones, der 32 Jahre jünger als Vardon war, hatte einen ähnlichen Schwung, schaffte es aber, die Hände im Treffmoment vor den Schlägerkopf zu bringen und so besonders die Eisen noch besser zu kontrollieren. Doch auch sein Schwung wurde noch sehr von den Händen dominiert.

Der erste Golflehrer?

Der Schotte Thomas Kincaid aus Edinburgh schrieb 1687 als Erster seine Golfinstruktionen auf und empfahl:

- Stand wie beim Fechten, linker Fuß zeigt nach außen.
- Ball liegt links von der Körperachse.
- Drehung aus den Beinen.
- Augen bleiben auf dem Ball.
- Flüssige Bewegung, durch den Ball schwingen.
- Die Endposition ist so weit links, wie der Rückschwung nach rechts ging.

Heute würde kaum ein Golflehrer einen Stand wie beim Fechten empfehlen, doch alles andere gilt noch immer.

Henry Cotton betonte immer wieder, dass die Kraft aus den Händen kommen müsse, so wie es ihm sein Lehrer Ernest Jones beigebracht hatte. Sein auch heute noch aktueller Tipp: „Schwingen Sie den Schlägerkopf." Die Ende der 1920er-Jahre aufgekommenen Stahlschäfte hatten einen enormen Einfluss auf den Schwung. Die Hände wurden unwichtiger, und bei den meisten Spielern war der Schlag „square to square", d.h., Hände und Schlägerkopf bewegten sich gleichzeitig vom Ball weg. Byron Nelson, fünffacher Major-Sieger, beherrschte diesen Schwung als erster Spieler und ließ seinen linken Arm im Rückschwung fast ganz gerade. Er setzte außerdem seine Beine fast übertrieben ein, was viele Jahre lang die Regel blieb. Sogar Jack Nicklaus, der erst 20 Jahre nach Nelson spielte, sagte, dass bei seinem Schwung die Kraft aus der Beinbewegung käme.

Ben Hogan hielt die linke Seite bis nach dem Treffmoment relativ gerade und bewegte die Hände vor dem Schlägerkopf weg vom Ball. So bekämpfte er die Hooks, die ihn zu Anfang seiner Karriere sehr behinderten. Mit seinen Gedanken zur Schwungebene trug Hogan viel zur Entwicklung des modernen Schwungs bei.

Viel Bewegung in den Beinen und dem Unterkörper waren bis in die Mitte der 1980er-Jahre die Norm, ehe David Leadbetter systematisch mit Nick Faldo trainierte und ihm die übermäßigen Hand- und Beinbewegungen abgewöhnte. Faldo baute seinen Schwung um die kräftigere und eher kontrollierbare Rückenmuskulatur auf, setzte seine Schultern und Arme ein und gewann mit diesem Stil sechs Major-Titel. Seine Oberkörperdrehung beim Rückschwung und die fast gerade linke Seite im Treffmoment gelten auch heute noch als vorbildhaft.

106   Wer sind die fünf besten Golflehrer aller Zeiten?

1. David Leadbetter

Leadbetter war der erste moderne „Guru" auf der Profitour. Seine Arbeit mit Nick Faldo Mitte der 1980er-Jahre machte ihn weltbekannt. Er machte aus dem talentierten Engländer einen Weltklassespieler mit einer Schlagtechnik, bei der die Schulter-, Rücken- und Beinmuskulatur viel wichtiger wurde als die Bewegung aus den Handgelenken. Sein berühmtester Spruch: Der Hund sollte mit dem Schwanz wedeln, nicht umgekehrt. Damals dachten viele, Leadbetters Methoden seien viel zu kompliziert, und wahrscheinlich konnte auch nur ein so wild entschlossener Spieler wie Nick Faldo sein strenges Regime zum eigenen Vorteil nutzen. Doch in den letzten Jahren wird Leadbetter von allen als hervorragender Golflehrer anerkannt, nachdem er mit Spielern wie Ernie Els, Tom Watson, Nick Price und den jungen Talenten Ty Tyron und Aaron Badderly erfolgreich gearbeitet hat. In der Ausgabe des *Golf Digest* vom August 2000 wurde er von seinen Kollegen in den USA zum besten Golflehrer gewählt.

David Leadbetter wurde berühmt, als er aus Nick Faldo einen Weltklassespieler machte.

Weiter auf der nächsten Seite

2. Harvey Penick

Penick, der 1992 durch sein Little Red Book berühmt wurde, war vielleicht der beste amerikanische Golflehrer. Er wurde 1904 geboren und war schon mit 19 Jahren Head Pro im Austin Country Club. An der University of Texas war er der Coach von Tom Kite und Ben Crenshaw, die ihr Leben lang auf Penick schwörten. Der junge Davis Love III. trainierte bei ihm, und auch der große Byron Nelson holte sich so manchen Tipp. Penick kam auch mit Golferinnen gut aus und trainierte berühmte Spielerinnen wie Mickey Wright, Betsy Rawls und Kathy Witworth. Er beherrschte es perfekt, die Bewegungsabläufe einfach zu erklären und das Potenzial seiner Schützlinge optimal auszuschöpfen. Er half den Spielern dabei, ihre Ergebnisse deutlich zu verbessern, und zwar nicht mit irgendwelchen komplizierten Schwungtechniken, sondern mit einem ganzheitlichen Ansatz. 1989 wurde er von der PGA mit dem neu eingeführten Preis „Teacher of the Year" ausgezeichnet.

3. Tommy Armour

Tommy Armour war einer der wenigen Topspieler, die auch zu Toplehrern wurden. Er hatte drei große Titel gewonnen (US Open 1929, USPGA 1930 und British Open 1931), litt aber plötzlich mit fast 40 Jahren an den Yips (der Begriff stammt von ihm) und beendete seine aktive Karriere. Als Golflehrer war er dafür bekannt, horrende Stundensätze zu verlangen, doch kaum einer konnte den Golfschwung so einleuchtend erklären wie er. Er predigte immer, dass Golf mit den Händen gespielt würde, und wies seine Schüler an, die Bälle möglichst fest zu schlagen, allerdings nur mit der rechten Hand. Er schrieb die beiden Golfbuchklassiker *How to Play your Best Golf all the Time* und *A Round of Golf with Tommy Armour*.

4. John Jacobs

Auch John Jacobs war vor seiner Zeit als Golflehrer ein erfolgreicher Spieler. 1955 war er Mitglied des europäischen Ryder-Cup-Teams, dessen Kapitän er 1979 und 1981 wurde. Im Jahr 1971 war er der erste Director General der European Tour. In seinem bekannten Buch *Practical Golf* erläuterte er zum ersten Mal die physikalischen Gesetze, die für den Flug eines Golfballs gelten. Er erklärte so gut wie niemand vor ihm, wie Slice, Hook, Pull, Push und Shank entstehen und gab einfache Tipps zur Fehlervermeidung. Er war als Trainer für viele Golfteams in ganz Europa tätig und wurde 2000 in die Golf Hall of Fame aufgenommen. Jacobs hat mit vielen guten Profis und Amateuren gearbeitet, ist aber heute speziell deshalb bekannt, weil er aus José Maria Olazábal einen Weltklassespieler machte.

5. Stewart Maiden

Maiden stammte aus Carnoustie, emigrierte aber in die USA und wurde Head Pro im East Lake Country Club in Atlanta. Dort traf er den jungen, talentierten Bobby Jones und wurde dessen Mentor. Jones übernahm Maidens ästhetischen „Carnoustie-Schwung" und wurde selbst zu einem der elegantesten Spieler auf der Tour. Maiden stand seinem Schützling immer mit wertvollen Tipps zur Seite. Bei den US Open 1923 im Inwood CC in New York entwickelten sie gemeinsam die Turnierstrategie und behoben kurzfristig noch einige kleinere Schwungfehler. Jones gewann diesen ersten großen Titel seiner Karriere im Play-off gegen Bobby Cruikshank. Maiden betreute im East Lake Country Club auch Alexa Stern (die später Alexa Stirling hieß) und führte sie zu drei Titeln bei den US Women's Amateur Championships.

Ausrüstung

107 **Welche Schläger braucht ein Anfänger?** Viele unerfahrene Spieler wären besser beraten, wenn sie den Driver zu Hause lassen und stattdessen ein Holz 3 mitnehmen würden, das mehr Loft hat und mit dem es leichter ist, den Ball gerade zu spielen. Auch ein Holz 5 für lange Par-3-Bahnen und für Fairwayschläge auf langen Par-4- und Par-5-Bahnen ist sinnvoll.

Eine Alternative zu Fairwayhölzern bzw. langen Eisen sind die so genannten Hybridschläger, die mit unterschiedlichem Loft zu haben sind (meist 15°, 18°, 21° und 24°). Solche Schläger sind besonders bei Spielern sehr beliebt, die mit traditionellen Hölzern nicht zurechtkommen. Sie haben wie die normalen Hölzer eine leicht gewölbte Schlagfläche, sind durch den höheren Neigungswinkel des Schlägerblatts aber gerade für Anfänger leichter zu spielen.

Eisen im Cavity-Back-Design sind für schwächere Spieler ein Muss.

Empfohlen wird auch ein Eisensatz im Cavity-Back-Design vom Eisen 3 bis zum Sand Wedge, dazu ein Lob Wedge, mit dem der Ball kurz und hoch geschlagen werden kann. Das Eisen 3 können Sie ggf. durch ein Holz 7 ersetzen. Der Putter sollte eine möglichst gleichmäßige Gewichtsverteilung haben.

Der Anfängersatz

Ein guter Anfängersatz umfasst ein Holz 3 (oder einen Hybridschläger mit 15°) und ein Holz 5 (oder einen Hybridschläger mit 21°), Eisen von 4 bis 9, Pitching Wedge, Sand Wedge, Lob Wedge und Putter. Sie dürfen noch zwei weitere Schläger mitnehmen, doch das zusätzliche Gewicht können Sie sich eigentlich sparen. Wenn Sie unbedingt einen Driver wollen, dann einen mit möglichst hohem Loft; spielen Sie ihn nur, wenn das Fairway besonders breit ist.

Alle, die mit dem Chippen Probleme haben, sollten sich einen Chipper besorgen. Sie haben meist einen Neigungswinkel wie ein Eisen 8 oder 9, sehen aber eher wie ein Putter aus und helfen enorm bei der Ballkontrolle.

108 Wie heißen die einzelnen Bereiche des Schlägerkopfs?

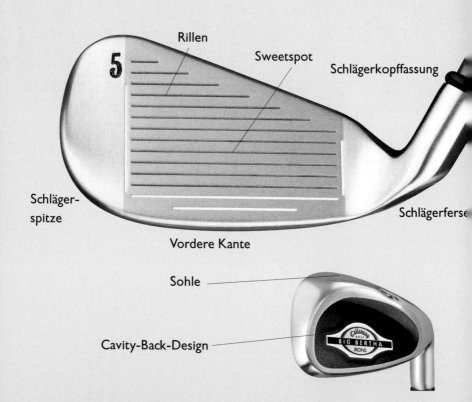

Rillen

Sweetspot

Schlägerkopffassung

Schläger-spitze

Schlägerferse

Vordere Kante

Sohle

Cavity-Back-Design

109 Welche Schläger hat ein Golfprofi im Bag?

Im Profigolf spielt die Länge eine wichtige Rolle, sodass viele Spieler auf den meisten Par-4- und Par-5-Bahnen mit dem Driver abschlagen. Für den Abschlag auf einem engen Par 4 sowie für einen langen Annäherungsschlag auf einem Par 5 (über 220 m) wird gerne ein Holz 3 verwendet. Die meisten Spieler verzichten auf ein Eisen 1 zugunsten eines zusätzlichen Wedge. Ein Tourprofi hat also meistens zwei Hölzer, acht Eisen (2 bis 9), drei oder vier Wedges für Schläge um das Grün sowie einen Putter im Bag.

Blick ins Bag

Sergio Garcia hat zwei Hölzer im Bag, den Driver und ein Holz 3, außerdem den Cobra Baffler, einen Hybridschläger mit einem Loft von 20°, der am Abschlag von kurzen Par-4-Bahnen zum Einsatz kommt sowie bei langen Schlägen aus dem Rough. Dazu kommen sieben Eisen (3 bis 9), drei Wedges (Pitching Wedge, Sand Wedge mit 51° und Lob Wedge mit 57°) sowie natürlich der Putter.

Karrie Webb spielt mit drei Hölzern: dem Driver, Holz 3 und 5; daneben mit sieben Eisen (3 bis 9) und drei Wedges (Pitching Wedge, Sand Wedge mit 52° und Lob Wedge mit 58°).

Jim Furyk spielt einen Driver mit 8° Loft, ein Holz 3 mit 12° und ein Fairwayholz mit 16°, sieben Eisen (3 bis 9), drei Wedges (Pitching Wedge, Sand Wedge mit 56°, Lob Wedge mit 60°).

⬤ 110 Wofür braucht man die unterschiedlichen Wedges?

Es gibt vier Arten von Wedges: Pitching, Gap, Sand und Lob Wedge. Ein Pitching Wedge hat meist 48° Loft (manche Golfprofis spielen Schläger mit nur 43° oder 44°) und eignet sich für volle Schläge zwischen 90 und 130 m – je nach Spieler – und für kürzere Schläge um das Grün. Das Anfang der 1990er-Jahre beliebte Gap Wedge hat 52° Loft und schließt die Lücke zwischen Pitching Wedge und Sand Wedge. Das 56°-Sand-Wedge ist für Bunkerschläge ideal, weil seine Sohle eine zusätzliche Ausbuchtung hat (Erklärung rechts). Mit dem Lob Wedge, dessen Loft meist zwischen 60° und 64° liegt, lässt sich der Ball hoch und kurz schlagen, um Hindernisse rund um das Grün zu überwinden. Das Lob Wedge hat keine Extraausbuchtung, weil man den Ball damit vom Gras und nicht aus dem Sand schlägt und die Schlagfläche leicht unter den Ball gebracht werden muss.

⬤ 111 Warum haben Eisenschläger Rillen?

Sie erleichtern die Kontrolle bei Schlägen aus dem Rough und anderen Schlägen, bei denen sich im Treffmoment Gras zwischen Ball und Schlagfläche befindet. Die Wirkung lässt sich vergleichen mit Profilreifen im Gegensatz zu Slicks.

Viele Studien haben gezeigt, dass es egal ist, ob die Schlagfläche Rillen hat oder nicht, wenn man den Ball aus einer perfekten Lage auf dem Fairway spielt. Aus dem Rough kann jedoch das Gras, das zwischen dem Ball und der Schlagfläche liegt, die Reibung reduzieren und zu einem Verlust

Auch wenn die Schlägerhersteller ihren Wedges die unterschiedlichsten Namen geben – Touch, Approach, Fairway, Utility etc. –, fallen sie alle in eine der vier Kategorien. Experimentieren Sie mit unterschiedlichen Schlägern und finden Sie heraus, welche Wedges Sie für Ihr Spiel brauchen.

Was ist der Bounce?

Wenn Sie sich Ihr Sand Wedge genauer ansehen, werden Sie bemerken, dass es an der Unterseite des Schlägers eine Ausbuchtung gibt, die, wenn man den Schläger senkrecht anhebt, weiter nach unten reicht als die Vorderkante. Diese Ausbuchtung bezeichnet man als Bounce. Mit Bounce gleitet der Schlägerkopf leichter durch den Sand, ohne Bounce würde er sich weiter in den Sand eingraben. Der Bouncewinkel, meist 12° oder 13°, ist der Winkel zwischen dem untersten Punkt des Schlägerkopfs und der Vorderkante.

Gene Sarazen war wohl der erste Spieler, der mit dem Bounce experimentierte, denn er lötete etwas Blei an die Sohle seines regulären Wedges, damit die Hinterkante tiefer lag als die Vorderkante. Dazu inspiriert haben ihn seine Flugstunden mit Howard Hughes.

Sarazen bemerkte nämlich, dass beim Start des Flugzeugs der Bug nach oben und gleichzeitig das Heck nach unten ging, und das wollte er auf seinen Schläger übertragen. Er fand heraus, dass er so viel weniger präzise spielen musste, wenn er den Ball aus dem Bunker befördern wollte, als vorher. Seiner Schätzung nach benötigt ein Spieler mit einem solchen Schläger bis zu sechs Schläge weniger pro Runde.

von Backspin führen. Dadurch entsteht ein so genannter „Flier", ein Schlag, bei dem weder Länge noch Richtung optimal kontrolliert werden können. Ein Eisen ohne Rillen würde bei jedem Schlag aus dem Rough einen Flier produzieren, mit Rillen hat man einfach mehr Kontrolle.

Die Rillen sind so konzipiert, dass sie möglichst viel Gras von der Kontaktfläche fernhalten. Je besser die Rillen sind, desto mehr Backspin lässt sich erzielen. V-Rillen funktionieren nicht so gut wie die heute meist verwendeten U-Rillen, weil sie im Treffmoment weniger Gras verdrängen.

112 Was bedeutet eigentlich Loft im Zusammenhang mit Schlägern?

Als Loft bezeichnet man den Neigungswinkel des Schlägerblatts, von dem auch abhängt, in welchem Winkel der Ball die Schlagfläche verlässt. Bei Schlägern mit wenig Loft fliegt der Ball weiter, weil weniger Backspin entsteht und der Ball nicht so hoch fliegt. Hier sind die Werte der gängigsten Schläger sowie die ungefähren Entfernungen, die Tiger Woods bzw. ein durchschnittlicher Clubgolfer mit Handicap 18 damit jeweils erreichen.

	Loft	Tiger Meter	HCP 18 Meter
Driver	7°–12°	293	210
Holz 3	14°–15°	256	192
Holz 5	20°–21°	219	178
Eisen 3	20°–21°	210	170
Eisen 4	24°	201	160
Eisen 5	28°	192	150
Eisen 6	32°	183	142
Eisen 7	36°	174	133
Eisen 8	40°	165	123
Eisen 9	44°	150	
Pitching Wedge	48°	137	96
Gap Wedge	52°	119	91
Sand Wedge	56°	110	82
Putter	2°–4°		

113 Worin unterscheiden sich Blades und Eisen im Cavity-Back-Design?

Eisen im Cavity-Back-Design gibt es seit den frühen 1960er-Jahren. Bei ihnen ist die Rückseite hohl, dafür ist der Rand des Schlägerkopfs verstärkt. Bei den Blades ist die Rückseite des Schlägerkopfs glatt und sieht eleganter aus.

Bei den Cavity-Back-Eisen ist das Hauptgewicht des Schlägerkopfs um den Rand herum verteilt, damit der Schwerpunkt des Schlägers möglichst tief liegt und seine Trägheit erhöht wird. Diese Schläger verzeihen deshalb mehr Fehler, wenn man den Ball nicht sauber in der Mitte trifft. Tritt man den Ball z.B. mit der Schlägerferse, ist das Ergebnis mit einem Cavity-Back-Schläger deutlich besser als mit einem Blade.

Die meisten Blades sind auf der Rückseite verstärkt, sodass das Hauptgewicht direkt hinter dem Mittelpunkt der Schlagfläche liegt.

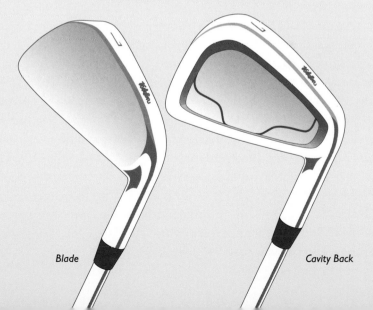

Blade   Cavity Back

114 Was ist der Unterschied zwischen einem geschmiedeten und einem gegossenen Schlägerkopf?

Ein geschmiedeter Schlägerkopf besteht aus unlegiertem Stahl – meist 1030- oder 8620-Kohlenstoffstahl – und wird von Hand auf die passende Größe, Form und das gewünschte Gewicht gebracht. Anschließend wird der Schläger verchromt. Gegossene Schlägerköpfe werden in Großserie hergestellt, indem flüssiges Metall (meist rostfreier Stahl) in eine Gussform gegossen wird. Nach dem Abkühlen des Metalls erhält der Schläger durch unterschiedliche Trommel- oder Polierverfahren sein endgültiges Aussehen.

Bei gegossenen Schlägerköpfen desselben Typs sind die Qualitätsunterschiede gering, weil sie alle aus derselben Gussform kommen. Geschmiedete Schlägerköpfe waren in der Vergangenheit oft sehr unterschiedlich, doch neue Schmiedeverfahren konnten dieses Problem beheben.

Geschmiedete Schlägerköpfe sind deutlich teurer, weil ihre Herstellung arbeitsintensiver ist. Besonders beliebt sind sie bei guten Spielern, da sie angeblich ein weicheres, kontrollierteres Spiel ermöglichen, was jedoch nie bewiesen wurde. Die Unterschiede zwischen gegossenen und geschmiedeten Schlägerköpfen sind auch für sehr gute Spieler kaum auszumachen.

Trotzdem wird kaum ein guter Spieler die billigere Schlägervariante spielen. Bis in die 1970er-Jahre wurden alle Schlägerköpfe geschmiedet, erst danach kam das Gussverfahren auf. Beim Wachsausschmelzverfahren wird eine Gussform aus Wachs hergestellt und mit Sand und einer Keramikmasse überzogen. Danach wird das Wachs ausgeschmolzen und das flüssige Metall in die Form gegossen. Nachdem die Form abgekühlt ist, wird der Schlägerkopf herausgenommen und poliert. 90% der gegossenen Schläger kommen aus Asien.

115 Wo kann man die Ausrüstung kaufen, wo sind Service und Qualität besonders gut?

Im Prinzip gibt es vier Möglichkeiten: im Proshop, im Kaufhaus, über das Internet oder per Katalog. Bis in die 1990er-Jahre erstanden die meisten Clubgolfer ihre neuen Schläger im Proshop ihres Clubs, denn dort wurden sie gut und zuverlässig beraten, auch wenn die Preise nicht wirklich günstig waren. Außerdem konnte der Pro auch Sonderwünsche schnell erfüllen. In vielen Kaufhäusern wurden die Schlägersätze sehr günstig angeboten, doch die Verkäufer hatten meist keine Ahnung vom Golf und konnten keine entsprechende Beratung bieten. Viele Kunden mussten rasch feststellen, dass sie ihr Geld für ungeeignete Schläger ausgegeben hatten.

Diese Situation hat sich aber stark verbessert, und heute kann man in den großen Kaufhäusern und Sportgeschäften nicht nur günstig einkaufen, sondern sich auch fachmännisch beraten lassen. Viele Proshops in den Clubs mussten sich also in den letzten Jahren umstellen. Heute machen sie oft mehr Umsatz mit dem Verkauf von Golfkleidung und Zubehör als mit Schlägern.

Im Internet oder im Versandhandel bekommt man zwar die günstigsten Preise, doch dafür muss man einige Nachteile in Kauf nehmen. Der größte Nachteil: Man kann die Schläger nicht ausprobieren. Wenn Sie sich neue Schläger zulegen, sollten Sie sie vor dem Kauf unbedingt testen. Viel Geld für einen Schlägersatz auszugeben, nur weil er gut aussieht und Ihnen gefällt, ist nicht unbedingt ein Erfolgsrezept. Testen Sie möglichst viele Schläger, bevor Sie sich entscheiden – im Internet geht das nicht.

116 Ist die Griffstärke der Schläger wichtig?

Ja, sie kann Ihre Schläge beeinflussen. Ist der Griff zu dick, wird es schwierig, den Schlägerkopf im richtigen Moment freizugeben, d.h., die Schlagfläche ist im Treffmoment wahrscheinlich offen und der Ball fliegt nach rechts. Ist der Griff zu dünn, werden die Hände leicht überaktiv, die Schlagfläche schließt sich und der Ball fliegt nach links.

Wenn Sie den Schläger mit der linken Hand greifen, sollten die Fingerspitzen des Mittel- und Ringfingers den Handballen leicht berühren. Den Griff kann man verstärken, indem man den Schaft mit Tape umwickelt, bevor der Griff aufgezogen wird.

Richtig gutes Golf kann man nur mit sauberen und nicht zu glatten Schlägergriffen spielen (sie müssen so rau sein, dass sie nicht rutschen). Bei zu glattem Griff verstärkt man instinktiv den Druck und hält den Schläger fester in der Hand, was den flüssigen Schwung enorm behindert.

Wie oft soll man die Griffe wechseln? Wenn Sie einmal pro Woche spielen, sollten Sie sie mindestens zweimal pro Jahr auswechseln. Das kostet um die 5 Euro pro

O'Meara hat alles im Griff

Mark O'Meara hatte 1998 sein bestes Jahr auf der PGA-Tour. Nach 17 Jahren als Golfprofi schaffte er endlich den Durchbruch und gewann das Masters. Dass dieser Sieg kein Zufall war, bewies er drei Monate später beim Sieg bei den British Open. Und kurze Zeit darauf schlug er sogar Tiger Woods im Finale der World Matchplay Championship in Wentworth. Und was haben diese Siege gemeinsam? Er hatte jeweils kurz davor neue Schlägergriffe aufziehen lassen.

Einen Griff auszutauschen geht schnell und kostet nicht viel. Wenn Sie viel spielen, wechseln Sie die Griffe am besten zweimal pro Jahr.

Schläger. Dazwischen sollten Sie sie nach jeder Runde gründlich reinigen, entweder mit einer heißen Lauge oder mit einem der zahlreichen Spezialprodukte, die dafür angeboten werden. Es gibt inzwischen auch Sprays, die die Haftung der Griffe erhöhen sollen, oder harzhaltige Produkte in Cremeform, die Sie sich auf die Handflächen streichen können, um einen besseren Griff zu haben. Mit etwas Pflege hält ein Griff recht lange, doch wenn er zu glatt geworden ist, müssen Sie ihn erneuern lassen.

117 Wie viel Loft sollte der Driver haben?

Driver gibt es mit unterschiedlichem Loft, meist zwischen 7° und 12°, sogar Abstufungen von 0,5° sind zu haben. Spieler mit einem Handicap über 20 haben oft Probleme damit, den Ball richtig in die Luft zu befördern, sodass ein Driver mit viel Loft (11° oder 12°) empfohlen wird. Solche Spieler fühlen sich sicherer, wenn sie die Schlagfläche sehen können, sie schwingen dann lockerer und treffen den Ball besser.

Spieler mit einem mittleren Handicap können es mit einem Driver mit weniger Loft (9° oder 10°) versuchen, denn so nimmt der Ball eine niedrigere Flugkurve und läuft nach der Landung noch etwas weiter.

Bei sehr guten Amateuren und Golfprofis ist die Schwunggeschwindigkeit so hoch, dass sie einen Driver mit relativ wenig Loft (8° oder 9°) spielen können. Nur absolute Longhitter, wie etwa John Daly und Tiger Woods, werden mit Schlägern mit einem geringeren Loft glücklich. Daly hat mit einem Driver mit 6° experimentiert, spielt aber auf Turnieren einen mit 7° Loft, während der Driver von Tiger Woods und von Davis Love III., der ebenfalls sehr weite Abschläge hat, einen Loft von 7,5° hat.

118 Warum ist die Schlagfläche des Drivers gewölbt?

Alle Hölzer, auch Driver und Metallhölzer, haben eine Wölbung von der Ferse bis zur Spitze, die den „Rückholeffekt" des Schlägers verstärkt – die Ballrotation, die dazu führt, dass der Ball nach dem Schlag die ursprüngliche Flugrichtung ändert.

Diese Wölbung stellt sicher, dass ein Ball, der nicht hundertprozentig im Sweetspot der Schlagfläche getroffen wird, horizontal rotiert und seine Flugkurve je nach Treffpunkt nach links oder rechts ändert und so in einem Bogen auf das gedachte Ziel zufliegt.

Schläger mit gewölbter Schlagfläche kamen Mitte des 19. Jh. auf, nachdem der Guttyball eingeführt wurde. Bei den meisten handelte es sich um Driver mit nur mehr 10 cm langen Schlagflächen, die sich sehr von den üblichen „Longnoses" mit extrem breiten Schlägerköpfen unterschieden.

119 Was bedeutet „toed-in" im Zusammenhang mit dem Driver?

Bei einem solchen Driver ist die Spitze (engl. „toe") so konstruiert, dass sie beim Ansprechen leicht vor der Schlägerferse liegt, d.h., die Schlagfläche ist geschlossen. Solche Schläger werden von Spielern verwendet, bei denen der Ball gerne als Slice nach rechts fliegt. Der Anpassungswinkel kann zwischen 1° und 4° liegen, und der Effekt ist ähnlich wie bei Offset-Schlägern.

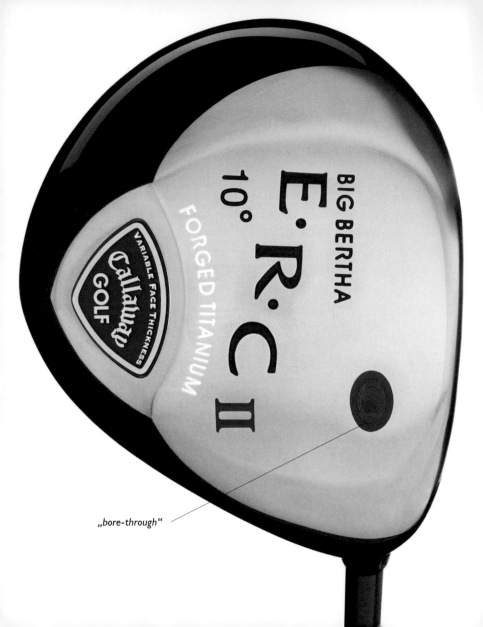

„bore-through"

120 Was bedeutet „bore-through"?

Bei einem Golfschläger wird der Schaft meist so weit in die Schlägerkopffassung gesteckt, dass sein unteres Ende in etwa den Schlägerkopf erreicht. Wird ein Schläger als „bore-through" (wörtlich: durchbohrt) bezeichnet, reicht der Schaft bis hinunter zur Sohle des Schlägerkopfs. Das Schaftende ist in der Sohle auch zu erkennen. Laut Hersteller wird dadurch die Verdrehung des Schlägerkopfs im Treffmoment minimiert, und die Schlagfläche ist länger square zum Ziel ausgerichtet.

Solche Schläger kamen Anfang der 1990er-Jahre verstärkt auf den Markt, nachdem Callaway seinen Driver der Marke Big Bertha vorgestellt hatte. Die erste Begeisterung ebbte aber sehr rasch ab, und heute findet man diese Art der Schaftbefestigung praktisch nur noch bei Callaway.

Generell gibt es drei Befestigungsvarianten: mit Blindbohrung, Durchbohrung und Standardbohrung. Bei der Standardbohrung endet der Schaft an der untersten Kante der Schlägerkopffassung. Bei der Blindbohrung reicht der Schaft etwas in den Schlägerkopf hinein, bis ca. 1 cm oberhalb der Sohle. Und bei der Durchbohrung geht der Schaft durch den gesamten Schlägerkopf. Einige Hersteller, z.B. Golfsmith, geben die Schafttiefe in Millimetern an. Bei Dynacraft gibt es auch bei der Standardbohrung zwei Varianten: M1 (endet 3,5 cm oberhalb der Sohle) und M2 (2,5 cm).

Bei manchen Hölzern ist die Durchbohrung nur optisch vorgetäuscht, denn bei ihnen endet der Schaft wie bei einer Standard- bzw. Blindbohrung, und das Schaftende am Sohlenboden ist nur aufgemalt.

Ein „bore-through" minimiert die Verdrehung des Schlägerkopfs im Treffmoment.

121   Was bedeutet die Abkürzung COR?

COR steht für „coefficient of restitution" und beschreibt den Trampolineffekt der Schlagfläche. Je mehr sich die Schlagfläche im Treffmoment verformt und je schneller sie danach ihren Ausgangszustand wieder erreicht, desto schneller verlässt der Ball die Schlagfläche und desto weiter fliegt er.

Schlagflächen aus Titan haben einen COR, der im Treffmoment ein Minimum an Energieverlust sicherstellt. Das heißt, die Ballgeschwindigkeit ist mit solchen Schlägern viel höher als mit Holzschlägern, deren COR sehr niedrig ist.

Warum ist das so? Ein Ei hat einen COR von 0,0. Wenn man es fallen lässt, springt es nicht vom Boden zurück. Würde ein Golfball, den man aus einem Meter Höhe fallen lässt, wieder einen Meter zurückspringen, hätte er einen COR von 1,0 (da immer ein gewisser Energieverlust eintritt, ist diese Annahme rein hypothetisch). Aufgabe des Schlägerherstellers ist es also, den Energieverlust im Treffmoment auf ein Minimum zu reduzieren. Durch die unterschiedlichen Titanlegierungen, die derzeit verwendet werden, ist es gelungen, Schlagflächen mit einem COR-Wert von 0,87 bzw. 0,88 herzustellen.

Callaway im Kreuzfeuer

Die Firma Callaway geriet 2001 ins Kreuzfeuer, als sie sich entschloss, den ERCII-Driver in den USA zu verkaufen, obwohl die USGA ihn für Turniere nicht zugelassen hatte. Es kam zu einer hitzigen Debatte zwischen der USGA dem Firmenchef Ely Callaway, der nicht einsah, warum Freizeitgolfer nicht vom COR-Effekt profitieren sollten.

Über 100 000 Golfer in den USA gaben Callaway recht und kauften sich den neuen, teuren Driver sofort. Der große Konkurrent von Callaway, die Firma TailorMade, hatte im Mai 2000 mit dem Verkauf eines nicht regelkonformen Drivers begonnen, jedoch nur in Ländern, in denen die R&A-Regeln galten, nicht in den USA, denn die Firma gab an, keine „illegalen" Schläger verkaufen zu wollen.

Über den COR wird in den letzten Jahren heftig diskutiert, denn die USGA und der R&A sind sich über dessen Auswirkungen nicht einig. Im November 1998 legte die USGA einen Grenzwert von 0,830 fest, denn Driver mit höheren Werten würden es zu leicht machen, den Ball sehr weit zu schlagen, was dem Anhang II-5a der offiziellen Golfregeln widerspräche. Dort heißt es: „Material und Aufbau oder jede Behandlung der Schlagfläche oder des Schlägerkopfs dürfen nicht so angelegt sein, dass ein Federeffekt entsteht oder der Ball wesentlich mehr Drall erhält als mit einer normalen Stahlschlagfläche oder dass irgendeine andere Wirkung entsteht, die die Bewegung des Balls unangemessen beeinflussen würde."

Die USGA verbot nach und nach Driver mit hohem COR-Wert – 67 Exemplare bis April 2002 – in den USA und bei allen Turnieren, die nach den USGA-Regeln durchgeführt wurden. Der R&A hielt Driver mit einem hohen COR-Wert dagegen nicht für problematisch und sah deshalb keinen Grund, einen Grenzwert festzulegen.

Im Mai 2002 einigten sich die USGA und der R&A darauf, dass die Regel zum COR-Wert weltweit Gültigkeit haben sollte. Seit dem 1. Januar 2003 gilt, dass Freizeitgolfer Driver mit einem COR-Wert bis zu 0,860 verwenden dürfen, für Profigolfer gilt ein Maximum von 0,830. Durch die Entscheidung des R&A wurde der Trampolineffekt also überall eingeschränkt, wobei der 1998 von der USGA festgelegte Wert für Freizeitgolfer etwas gelockert wurde. Ab 2008 gilt der Grenzwert von 0,830 aber für alle Turniere.

122 **Wie misst man die Größe eines Schlägerkopfs?** Das Volumen misst man in Kubikzentimetern (cm³) und zwar, indem man den Schlägerkopf in einen Behälter mit Wasser taucht und feststellt, wie viel Wasser dabei verdrängt wird.

Volumenangaben sind jedoch mit Vorsicht zu genießen, weil sie von der Form des Schlägerkopfs abhängen. Die meisten Spieler denken beim Thema Schlägerkopfgröße nur an die Schlagfläche. Die Schlagfläche eines rechteckigen Schlägerkopfs kann genauso groß sein wie die eines runden Schlägerkopfs, das Volumen ist jedoch ein ganz anderes.

Die amerikanische Firma Integra stellt besonders große Schlägerköpfe her. Nach einem Modell mit 550 cm³ entwickelte sie ab 2001 eine Version mit 600 cm³. Ein besonders großer Schlägerkopf mag gut aussehen, jedoch macht es der Luftwiderstand beim Schwung schwieriger, die Schlagfläche im Treffmoment square auszurichten. Oft bleibt die Schlagfläche offen, und der Ball fliegt (bei Rechtshändern) nach rechts weg.

Anfang 2002 schlug die USGA einen Grenzwert von 460 cm³ vor, doch eine Entscheidung ist noch nicht gefallen.

Der Titleist 975J hat ein Volumen von 312 cm³.

123 Was bedeutet „offset" bei Schlägern?

Bei solchen Schlägern ist die Schlägerkopffassung gekrümmt, was dazu führt, dass die Vorderkante des Schlägerblatts nicht entlang der Schaftlinie verläuft, sondern etwas versetzt ist. Davon sollen Spieler profitieren, die die Schlagfläche im Treffmoment leicht offen lassen, denn sie haben etwas mehr Zeit, um die Schlagfläche vor dem Treffmoment square auszurichten.

Diese Schläger sind nützlich, wenn Sie an einem chronischen Slice leiden oder die Flugkurve Ihres Balls oft extrem von links nach rechts verläuft. Gute Golfer brauchen solche Schläger nicht und bevorzugen Standardschläger, bei denen der Schlägerkopf die Schaftkante geradlinig verlängert.

Offset-Schläger können chronischen Slicern das Leben erleichtern.

124 Wo sind nur die schönen Holzschläger geblieben?

Leider sieht man kaum noch welche. Sie dominierten das Spiel vom Anfang des 20. Jh. bis in die Mitte der 1980er-Jahre, als das Persimmon-Holz knapp wurde und Metallhölzer den Markt eroberten. Heute findet man Holzschläger fast nur noch in Museen bzw. im Bag von echten Golftraditionalisten.

Elmore Just, Gründer der Firma Louisville Golf, die Persimmon-Driver herstellt, ist jedoch davon überzeugt, dass die traditionellen Hölzer wieder auf dem Vormarsch sind. Das glauben auch andere bekannte Schlägerhersteller wie Charlie Wood aus Texas und James Neely aus Florida, der in den letzten 20 Jahren Persimmon-Driver für berühmte Spieler wie Arnold Palmer, Davis Love III., Lee Westwood und Phil Mickelson gebaut hat.

Auch andere Hersteller unterstützen diesen Trend, z.B. Condor Golf in Phoenix, die Firma Inwood Golf, deren Timberwolf-Driver angeblich die Great Big Bertha von Callayway in einem Weitentest geschlagen hat, sowie die japanische Firma Honma, die für die exzellente Qualität ihrer Schläger bekannt ist. Alle drei Firmen haben mindestens einen Persimmon-Driver im Angebot.

Die Hersteller sind auch der Meinung, dass Holzschläger einen besseren „Rückholeffekt" haben (vgl. Frage 118), dass sie also schlecht getroffene Bälle, die sonst zu Slices oder Hooks werden würden, eher auf das Fairway zurückbringen. Schafft man die Verbindung von Holz und moderner Technologie, dann werden Persimmon-Driver auch wieder konkurrenzfähig, zumindest nach Meinung der Traditionalisten.

Der letzte Spieler, der mit einem Persimmon-Driver ein Major-Turnier gewonnen hat, ist Bernhard Langer, Sieger des Masters im Jahr 1993.

*Solche Driver sind heute eher
selten zu sehen.*

125 Was ist der Sweetspot, und wo liegt er?

Der Sweetspot ist der Punkt auf dem Schlägerblatt, mit dem man den Ball idealerweise treffen sollte, damit ein Maximum an Schlagkraft auf den Ball übertragen wird. Trifft man den Ball im Sweetspot, verwindet sich die Schlagfläche nicht, und man hat sofort ein gutes Schlaggefühl.

Die genaue Lage und Form des Sweetspots hängt von der Größe, der Form und dem Gewicht des Schlägerkopfs ab sowie von dessen Material. Auch Größe und Form der Schlägerkopffassung wirken sich aus. Im Gegensatz zur landläufigen Meinung liegt der Sweetspot bei modernen Schlägern nicht direkt im Mittelpunkt der Schlagfläche, sondern ist 2 bis 4 mm in Richtung Schlägerferse versetzt. Das mag sich sehr wenig anhören, besonders weil der Treffradius im Durchschnitt um die 20 mm beträgt, doch mit diesem Versatz glaubt man, einen Slice verhindern oder zumindest positiv beeinflussen zu können.

Der Sweetspot ist bei Eisen im Cavity-Back-Design größer als bei Blades, weil ein Großteil des Schlägerkopfgewichts um den Rand herum verteilt ist. Dadurch vergrößert sich das Trägheitsmoment, das die Verwindungssteifigkeit des Schlägerkopfs bestimmt. Mit einem Metallholz erreicht man die maximale Distanz meist dann, wenn man den Ball unmittelbar oberhalb des Schwerpunkts des Schlägerkopfs trifft, denn dann führt der „Rückholeffekt" der Schlagfläche zu einem hohen Abflugwinkel und einem geringen Drall des Balls.

126 Warum sind Titandriver so beliebt? Sie

lassen den Ball im Durchschnitt weiter fliegen als Driver mit einem Schlägerkopf aus Stahl. Doch das liegt nicht allein am Material, sondern daran, dass Titan um 40% härter und leichter ist als Stahl und ein Schlägerkopf aus diesem Metall deshalb anders konstruiert werden kann.

■ Titandriver können um 2,5 bis 5 cm länger sein, was bei gleicher Schwunggeschwindigkeit eine höhere Geschwindigkeit des Schlägerkopfs bewirkt.

■ Der Schlägerkopf ist größer, was dem Durchschnittsgolfer mehr Selbstvertrauen im Umgang mit diesem schwierigen Schläger gibt.

■ Bei einem größeren Schlägerkopf kann die Gewichtsverteilung besser beeinflusst werden, wodurch Fehler leichter ausgeglichen werden können.

■ Dünnere, elastischere Schlagflächen mit einem hohen COR-Wert (vgl. Frage 121) führen dazu, dass der Ball das Schlägerblatt schneller verlässt.

Schwere Sohlen

Gewichte in der Sohle des Schlägerkopfs verlagern den Schwerpunkt des Schlägers nach unten, und dadurch wird es leichter, den Ball in die Luft zu befördern. Damit man den Ball mit einem Eisen gut trifft, muss dessen Schwerpunkt unterhalb des Schwerpunkts des Balls liegen, also näher am Boden als die „Äquatorlinie" des Balls, die ca. 20 mm oberhalb des Bodens liegt. Läge der Schwerpunkt des Schlägers darüber, wäre es sehr schwer, den Ball nach oben wegfliegen zu lassen.

Weltweit werden heute überwiegend Driver mit Titanschlägerkopf verkauft, doch immer noch bevorzugen viele Golfer Klang, Form und Größe der traditionellen Driver mit Stahlkopf, etwa Ping i3 Steel Driver, TaylorMade 200 und SteelHead von Callaway.

So wie Titan vor über 10 Jahren den Drivermarkt revolutioniert hat, wird wahrscheinlich bald ein neues Material auftauchen, das dem Titan den Rang abläuft. Der von Callaway 2002 auf den Markt gebrachte C4 Driver hat einen Schlägerkopf auf Carbonbasis, der laut Firmenangabe „unser bester Fehler verzeihender Hochgeschwindigkeitsdriver ist".

127 Worauf bezieht sich der Begriff „Schwunggewicht"?

Mit „Schwunggewicht" ist im Prinzip das Gewichtsverhältnis zwischen dem Schlägergriff und dem Schlägerkopf gemeint, genauer gesagt die Gewichtsverteilung des Schlägers um einen imaginären Drehpunkt, der etwa 35 cm vom oberen Schaftende entfernt liegt. Das Schwunggewicht wird in einer Kombination aus Buchstaben und Zahlen angegeben, z.B. C-8, C-9, D-0, D-1 etc., wobei höhere Zahlen/Buchstaben ein höheres Gewicht des Schlägerkopfs im Verhältnis zum Griff bedeuten. Beeinflusst wird das Schwunggewicht von mehreren Faktoren:

- Balancepunkt des Schafts. Je niedriger der Balancepunkt, desto höher das Schwunggewicht.
- Schlägerkopfgewicht. Je schwerer der Kopf, desto höher das Schwunggewicht. Eine Veränderung von 2 g bewirkt eine Veränderung des Schwunggewichts um den Faktor 1.
- Schaftgewicht. Je schwerer der Schaft, desto höher das Schwunggewicht. Eine Veränderung von 9 g bewirkt eine Veränderung des Schwunggewichts um den Faktor 1.
- Griffgewicht. Je leichter der Griff, desto höher das Schwunggewicht. Eine Veränderung von 5 g bewirkt eine Veränderung des Schwunggewichts um den Faktor 1.
- Schlägerlänge. Je länger der Schläger, desto höher das Schwunggewicht. Eine Veränderung um 1 cm bewirkt eine Veränderung des Schwunggewichts um den Faktor 3.

Ein Bleistreifen am Schlägerkopf erhöht das Schwunggewicht.

128 **Was bedeutet „Schaftflexibilität"?** Mit diesem Begriff beschreibt man, wie sehr sich ein Schaft durchbiegt. Schäfte mit dem Kennzeichen „XS" sind besonders steif und werden hauptsächlich von Golfprofis und sehr guten Amateuren gespielt, die eine Schwunggeschwindigkeit von über 175 km/h erreichen. Die meisten anderen Spieler hätten mit solchen Schlägern große Probleme.

Golfschläger, die mit einem „S" gekennzeichnet sind, haben einen steifen Schaft und sind besonders bei guten Clubspielern beliebt (Handicap 12 oder besser), die eine relativ hohe Schwunggeschwindigkeit erreichen und mit solchen Schlägern eine optimale Ballkontrolle erzielen.

Alle anderen Spieler sollten sich Schläger mit Standardschaft („R") zulegen, denn diese eignen sich am besten für niedrigere Schwunggeschwindigkeiten (135–145 km/h). Sie sind steif genug, sodass auch ein Anfänger einen kontrollierten Schwung ausführen kann und gleichzeitig biegsam genug, sodass die Schlagfläche im Treffmoment auch square ausgerichtet ist.

Auch für Senioren und Damen gibt es eigene Varianten. Da die Schwungge-

Was ist der Flexpunkt?

Der Flexpunkt ist diejenige Stelle des Schafts, die sich am meisten biegt. Er liegt etwa in der Mitte des Schafts. Es gibt drei Arten von Flexpunkten (hoch, mittel und niedrig), die sich aber nur geringfügig unterscheiden. Die Spanne des Flexpunkts in Schäften aus Grafit, Stahl und Titan beträgt nur ca. 3,5 cm.

Deshalb lässt sich die Flugkurve eines Balls auch nicht wesentlich ändern, wenn man einen Schaft mit einem anderen Flexpunkt verwendet.

Das Schlaggefühl kann jedoch sehr unterschiedlich sein. Ein Schläger mit niedrigem Flexpunkt fühlt sich z.B. so an, als sei der Schlägerkopf etwas schwerer als bei einem Schläger mit hohem Flexpunkt.

schwindigkeit bei diesen Spielern meist sehr gering ist, muss der Schläger-schaft besonders biegsam sein, um etwas mehr Kraft zu übertragen und den „dynamischen Loft" des Schlägerkopfs (d.h. den Loft der Schlagfläche im Treffmoment) zu unterstützen. Seniorenschäfte sind meist mit einem „A" gekennzeichnet, Damenschäfte sind am „L" zu erkennen.

Die Schwunggeschwindigkeit eines Spielers sollte jedoch nicht das ein-zige Entscheidungskriterium für die Wahl der Schäfte sein. Noch wichtiger ist, an welchem Punkt im Abschwung die Handgelenke wieder gerade gestellt werden. Ein Spieler, der den Driver z.b. mit 145 km/h schwingt und erst sehr spät im Abschwung die Handgelenke dreht und die Schlag-fläche square ausrichtet, um mit den Händen eine Art Peitscheneffekt zu erzielen, ist mit einem steifen Schaft besser beraten als mit einem regulären, auch wenn die Schwunggeschwindigkeit selbst einen „R"-Schaft nahelegt.

Da der Schaft einen großen Einfluss darauf hat, wie Sie mit Ihren Schlä-gern zurechtkommen, sollten Sie vor dem Kauf unbedingt Rat bei Ihrem Pro suchen und möglichst viele unterschiedliche Schläger testen.

129 Wie unterscheiden sich Stahlschäfte von Grafitschäften?

■ Grafitschäfte sind leichter. Der Spieler kann einen Schläger mit Grafitschaft deshalb schneller schwingen und den Ball ohne zusätzlichen Kraftaufwand weiter schlagen. Grafitschäfte wiegen zwischen 65 und 75 g, Stahlschäfte bis zu 10 g mehr.

■ Grafitschäfte verwinden sich mehr unter der Wucht des Schlags. Ist diese Verwindung zu hoch, kann es schwierig sein, die Position des Schlägerkopfs zu kontrollieren und ihn im Treffmoment square auszurichten. Als Ende der 1970er-Jahre die ersten Grafitschäfte auf den Markt kamen, verdrehten sie sich um bis zu 16°, sodass sich der Ballflug fast nicht mehr kontrollieren ließ. Durch neue Konstruktionsmethoden konnte man dieses Problem aber beheben, und moderne Grafitschäfte verdrehen sich nur noch um ca. 3°. Dies ist zwar deutlich besser als früher, doch noch immer schlechter als bei Stahlschäften, die sich um maximal 2° verwinden. Deshalb bevorzugen die meisten Spieler bei ihren Eisen auch heute noch Stahlschäfte.

130 Wie haben sich die Golfbälle im Lauf der Zeit entwickelt?

Der Feathery

Die ersten Golfer spielten mit Steinen und später mit hölzernen Kugeln, doch auch ohne besondere Kenntnisse in der Aerodynamik war ihnen schnell klar, dass dies für ihr Spiel nicht gerade ideal war. Der Ball sollte ja fliegen, nicht nur am Boden rollen.

Verbundschäfte

Der Schlägerhersteller Adams brachte 2000 als erster Verbundschäfte auf den Markt. Die Entwicklung des GT-Schafts dauerte sieben Jahre. Er besteht hauptsächlich aus Stahl, hat jedoch eine Grafitspitze, die 50% dicker ist als bei den sonst üblichen Grafitschäften. Die Vorteile sind: leichtes Gewicht und größere Stabilität im Treffmoment.

Der Hersteller True Temper stellte 2001 den Bi-Matrix-Schaft vor und landete damit sofort einen Hit, denn er amerikanische Golfprofi Mark Calcavecchia spielte diesen Schaft bei den Phoenix Open und gewann das Turnier mit dem Rekordergebnis von 28 Schlägen unter Par.

Der Bi-Matrix-Schaft ist auch eine Kombination aus Grafit und Stahl, wobei Grafit jedoch überwiegt. Laut Firmenangaben soll der Schaft eine bessere Kontrolle des Schlägerkopfs ermöglichen und gleichzeitig um bis zu 55% verwindungssteifer sein als andere Grafitschäfte, was sich besonders bei nicht exakt getroffenen Bällen auswirken soll.

■ Grafit dämpft Vibrationen besser. Gerade auf einem harten Untergrund können Schläge mit Stahlschäften zu Problemen in den Handgelenken und der Armmuskulatur führen. Grafitschäfte gleichen bis zu 20% der Vibrationen aus, die im Treffmoment entstehen.

■ Grafitschäfte sind glatt, während Stahlschäfte kleine Abkantungen haben, durch die es möglich ist, bei der Herstellung die Wandstärke des Schafts zu kontrollieren. Je höher die Wandstärke, desto steifer der Schaft.

Gegen Ende des 15. Jh. verwendete man den Feathery, einen kleinen, handgenähten Lederball, der mit Gänsefedern gefüllt wurde. Die Herstellung war sehr aufwändig und langwierig, sodass man pro Tag maximal drei oder vier Bälle produzieren konnte, die deshalb sehr teuer waren.

Trotzdem wurden solche Bälle bald überall in Schottland hergestellt, und daraus entwickelte sich bald eine eigenständige Industrie. Da es viele verschiedene Hersteller gab, waren die Bälle oft unterschiedlich groß und

Weiter auf der nächsten Seite

schwer, je nach Art und Dicke des verwendeten Leders. Der Feathery wurde bei Regen auch recht schwer, manchmal riss sogar das Leder auf. Die Flugbahn des Balls war deshalb meist eher zufällig.

Der Gutta

Der Gutta, auch Guttaperchaball, wurde aus dem Kautschuk südostasiatischer Gummibäume gemacht und tauchte um 1848 auf. Warum gerade dieses Material verwendet wurde, wird unterschiedlich erklärt. Ein gewisser Adam Patterson aus St Andrews hatte angeblich entdeckt, dass sich das Kautschukmaterial seiner Schuhsohlen einschmelzen und zu einem Ball umformen ließ. Eine vielleicht plausiblere Erklärung betrifft William Montgomerie, der als Arzt bei der Ostindienkompanie arbeitete und den Ball erfand, als er in Malaysia beobachtet hatte, dass man dort den Kautschuk in heißem Wasser weich machte und dann daraus Dolchgriffe fertigte. Der Gutta löste in Schottland eine gewisse Unruhe aus, denn die Hersteller des Feathery sahen sich plötzlich in ihrer Existenz bedroht.

Der Gutta war um einiges preiswerter als der Feathery, sodass es sich plötzlich viel mehr Menschen leisten konnten, Golf zu spielen. Anfangs flog der Ball nicht so weit wie der Feathery, doch das Problem konnte schnell gelöst werden, denn man beobachtete, dass der Gutta deutlich bessere Flugeigenschaften hatte, wenn man in die Oberfläche Rillen schlug. Bald schon waren die Tage des Feathery gezählt.

Der Gutty

Der Gutta war bis in die 1870er-Jahre immer weiter verbessert worden, und die Entwicklung gipfelte in der Einführung des Gutty. Dieser meist maschinell hergestellte Ball bestand aus Guttapercha, gemahlenem Kork, Metallspänen, Leder und Klebstoff.

Damals wurde auch erstmals ein Patent auf einen Golfball beantragt, und zwar von Captain Duncan Stewart von der Royal Navy, der mit gewickelten Kautschukbändern experimentierte. Zwischen 1870 und der Jahrhundertwende wurden unzählige Patente auf Golfbälle angemeldet und einige Kautschukhersteller fanden mit der Herstellung solcher Bälle einen ganz neuen Geschäftszweig. Der Gutty hatte bessere Flugeigenschaften als sein Vorläufer, er lief gerader auf den Grüns und war praktisch unzerstörbar.

Größe und Gewicht

Die USGA und der R&A einigten sich 1921 auf einen Standard für die Größe und das Gewicht eines Golfballs, nämlich 41 mm Durchmesser und mindestens 46 g Gewicht. Zehn Jahre später erlaubte die USGA auch einen größeren, leichteren Ball (43 mm, 44 g). 1932 wurde das Ballgewicht auf 46 g erhöht.

Der R&A blieb beim kleinen Ball, weil der sich angeblich für die britischen Dünenplätze besser eignete, doch immer häufiger gewannen amerikanische Spieler die British Open und besiegten das britisch-irische Team im Ryder Cup. 1968 entschloss sich die britische PGA dann auch, mit dem größeren Ball in Turnieren zu experimentieren, und 1974 schrieb der R&A den 43-mm-Ball für die British Open vor. Heute ist diese Ballgröße Standard.

Der Haskell

Gegen Ende der 1890er-Jahre erfanden Coburn Haskell, ein Fahrradfabrikant, und Bertram Work aus der Goodrich Rubber Company in Ohio einen neuen Golfball mit festem Kern, elastischer Umwicklung und Guttaperchaschale. Der erste Haskell wurde 1898 verkauft, war jedoch sehr teuer, weil er in Handarbeit hergestellt wurde. Er flog deutlich weiter als der Gutty – an die 25 m –, war aber bei den damaligen Profis nicht beson-

Weiter auf der nächsten Seite

ders beliebt, weil er angeblich um das Grün herum nicht gut zu kontrollieren war, oft versprang und manchmal in zwei Teile zerbrach, wenn man ihn nicht richtig traf.

Der Haskell setzte sich jedoch in den USA durch, und als Sandy Herd damit 1902 die British Open gewann (er spielte alle vier Runden mit demselben Ball), war er auch in Großbritannien sehr gefragt. Oft wurde darüber diskutiert, ob nun der Gutty oder der Haskell der bessere Ball sei, doch fast immer ging der Haskell als Sieger hervor.

Später wurde Guttapercha von einem anderen kautschukähnlichen Material abgelöst, nämlich von Balata, dem Saft der südamerikanischen Gummibäume. Damit wurden viele Three-Piece-Bälle überzogen, die auf dem Haskell basierten.

Two-Piece-Bälle

Diese Bälle gelten als ein sehr wichtiger Entwicklungsschritt in der Geschichte der modernen Golfausrüstung. Sie wurden 1959 von Bob Molitor erfunden, der für die Firma Spalding Bros arbeitete, und flogen weiter und gerader als alle bisherigen Bälle. Außerdem hielten sie deutlich länger. Eine weitere Verbesserung fand statt, als man die Schale der Bälle aus Surlyn fertigte, einem sehr robusten Kunststoff, der von Richard Rees erfunden und von DuPont hergestellt wurde. Die Firma Ram brachte als erste einen Two-Piece-Ball mit Surlynschale auf den Markt, den Golden Ram. Auch heute ist der Two-Piece-Ball gerade bei Spielern mit einem hohen Handicap sehr beliebt, weil er sehr weit fliegt, lange hält und deutlich preiswerter ist als die meisten modernen Hightechbälle.

Die Golfball-Ahnengalerie.

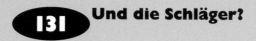

131 Und die Schläger?

Schlägerköpfe

Zwei Dinge hatten auf die Form der Golfschläger einen besonderen Einfluss, nämlich die Entwicklung der Golfbälle und die Verfügbarkeit
neuer Materialien.

In der Ära des Feathery waren alle Schläger
aus Holz. Weißdorn, die bevorzugte Holzart,
sowie Apfel- und Birnbaumholz waren gut für
Schlägerköpfe geeignet, denn sie waren stabil
und flexibel zugleich. Die ersten Schlägerköpfe
waren lang und schmal, der Winkel zwischen
Schaft und Sohle war besonders flach.

Als Mitte des 19. Jh. Guttybälle auf den
Markt kamen, brauchte man Schlägerköpfe aus
Eisen, denn die neuen Bälle waren deutlich härter als die Featherys und ließen sich mit Holzschlägern nicht so gut spielen. Man ließ sich nun
vom Schmied Metallköpfe aus glühenden Eisen-
stücken formen. Mit diesen neuen Schlägern
musste man beim Schwung viel aufrechter stehen, und so wurde auch der Winkel zwischen
Schlägerschaft und Sohle steiler. Die Schlagflä-

chen waren damals noch meist konkav wie bei den ersten Holzschlägern.

In den 1930er-Jahren führte die Firma Spalding das Gussverfahren im
Schlägerbau ein. Man goss flüssiges Metall in Formen und konnte so identi-

Hölzer mit Metallkopf gibt es seit gut 25 Jahren.

sche Schlägerköpfe in Großserie herstellen und die Schläger deutlich billiger produzieren.

Auch Holzschläger waren in der Zeit der Guttybälle noch gefragt, doch Weißdorn wurde von Buche, Hartriegel, Hainbuche, Stechpalme und später Persimmon-Holz abgelöst, das viele Jahrzehnte dominierte, bis sich in den 1980er-Jahren Schlägerköpfe aus Stahl (und später Titan) durchsetzten.

Schäfte

Die ersten Schäfte waren aus Haselnussholz, später aus Esche und Hickory. Die Zeit der Holzschäfte war jedoch vorbei, als die USGA 1924 Stahlschäfte zuließ, deren Qualität gleichbleibender war. Der R&A gestattete Stahlschäfte erst 1929, weil man der Ansicht war, sie würden den Vorteil des besseren Spielers zunichte machen. Mit Ausnahme der Driver, die heute oft Grafitschäfte haben, sind Stahlschäfte auch heute noch üblich.

132 Welche Bälle gibt es heute, und wie findet man den passenden?

In den letzten Jahren ging die Entwicklung der Bälle rasant voran. Man hat nicht mehr nur die Wahl zwischen einem Two-Piece-Ball und einem Three-Piece-Ball, sondern muss sich mit fast unendlich vielen Varianten auseinandersetzen. Flüssiger oder fester Kern? Wie viele Schichten? Welche Hülle – Surlyn, Urethan oder doch Balata?

Three-Piece-Bälle mit Innenwicklung, die von sehr guten Amateuren und von Profis gespielt werden, wird es nach Aussage von Herstellern wie Titleist und Maxfli auch weiterhin geben. Nur ist die Schale nicht mehr aus Balata, denn dieses Material verkratzt relativ leicht und verliert seine Form. Die Schale besteht heute meist aus anderen Materialien, z.B. Urethan, wodurch auch solche Bälle eine längere Lebensdauer haben. Der Trend geht hin zum festen Kern.

Anfänger und Spieler mit hohem Handicap bevorzugen Two-Piece-Bälle mit Surlynschale, bessere Spielen greifen eher zu Three-Piece-Bällen mit festem Kern, ausgereifteren Two-Piece-Varianten oder Bällen mit vier Schichten.

In die Kategorie Two-Piece-Bälle gehören einige Topbälle wie der CBI von Callaway und der Top-Flite XL 2000. Die Hersteller variieren sowohl die Materialien als auch die Kerngröße, um verschiedene Flugeigenschaften zu erreichen. Manche Bälle lassen sich weich spielen, erreichen mit kurzen Eisen einen exzellenten Backspin und lassen auch in puncto Flugweite nichts zu wünschen übrig.

Two-Piece-Ball *mit festem Kern*
- HARZKERN
- SURLYN-/URETHANSCHALE

Three-Piece-Ball *mit weicher Wicklung*
- HARTGUMMI
- KAUTSCHUKWICKLUNG
- URETHANSCHALE

Three-Piece-Ball *mit Doppelschale*
- HARZKERN
- ELASTYNESCHICHT
- URETHANSCHALE

Three-Piece-Ball *mit Doppelkern*
- HARZKERN
- KAUTSCHUKKERN
- SURLYNSCHALE

Three-Piece-Ball *mit Flüssigkern*
- FLÜSSIGKERN IN MEMBRANE
- FADENWICKLUNG
- BALATASCHALE

Three-Piece-Bälle (etwa der Titleist Pro-V1 und der Maxfli A10) gehören zu den beliebtesten Premiumbällen auf dem Markt. Jede Schicht ist so ausgelegt, dass sie bestimmte Eigenschaften fördert. Der Kern ist entweder fest oder flüssig, um ein bestimmtes Spielgefühl bzw. Backspineigenschaften zu erzielen, wobei der Trend eindeutig hin zum festen Kern geht. Diese Bälle halten ihre Form länger, wodurch sich ihre Flugkurve besser vorhersagen lässt und die Putts leichter werden.

Restlos verwirrt? Als Faustregel gilt: Einfache Two-Piece-Bälle eignen sich für Anfänger und Spieler mit einem hohen Handicap, erfahrene Spieler sollten ausgereiftere Two- und Three-Piece-Bälle testen (mit und ohne Wicklung), um ihren Favoriten zu finden.

133 Warum hat ein Golfball Grübchen?

Der Guttaball verdrängte den Feathery, weil er deutlich preiswerter war und viel länger hielt und nicht unbedingt deshalb, weil man mit ihm besser spielen konnte. Ganz im Gegenteil, der Feathery flog deutlich weiter und gerader als die ersten Guttas. Anfangs konnte man allerdings nicht erklären, warum.

Als man jedoch herausfand, dass alte, verkratzte Guttabälle besser flogen als die neuen, glatten Bälle, dämmerte es den Herstellern, dass unregelmäßige Oberflächen ein besseres Flugverhalten mit sich brachten. Der Feathery flog so gut, weil die Nähte die glatte Oberfläche durchbrachen.

So wurde es Anfang des 20. Jh. üblich, die Oberfläche der Bälle zu bearbeiten. Damals war der Bramble sehr beliebt, ein Ball mit kleinen Ausbuchtungen wie eine Himbeere. 1908 patentierte der englische Ingenieur William Taylor sein „umgekehrtes Bramblemuster" aus gleichmäßig verteilten, runden Dellen in der Oberfläche des Balls. So war der erste Ball mit Grübchen geboren, und er flog besser als jeder andere Ball zuvor. Schon 1930 gab es keine anderen Bälle mehr zu kaufen.

Wie wirken sich die Grübchen aus? Der schottische Physiker Peter Guthrie war einer der ersten Wissenschaftler, die sich mit der Aerodynamik von Bällen im Detail beschäftigten. 1890 veröffentlichte er einige Studien, die zur Grundlage der weiteren wissenschaftlichen Arbeit wurden. Er erkannte, wie sich

Fliegt ein warmer Ball weiter als ein kalter?

Die Lufttemperatur hat Einfluss auf die Flugweite des Balls. Warme Luft ist dünner als kalte und führt zu weniger Luftwiderstand. Ein Ball mit einer Weite von 228 m bei –12 °C würde bei +43 °C etwa 234 m weit fliegen.

Die Balltemperatur selbst wirkt sich noch gravierender aus. Wenn ein –12 °C kalter Ball 228 m fliegt, würde ein +43 °C warmer Ball 243 m weit fliegen. Warum? Weil mit dem Temperaturanstieg der Gummikern weicher wird.

Auftrieb und Luftwiderstand auf den Ballflug auswirkten, und dank seiner Arbeit versteht man heute, warum Golfbälle deutlich besser fliegen als andere Bälle.

Die Luft übt auf alle fliegenden Objekte eine Kraft aus, die sich aus zwei Komponenten zusammensetzt: dem Luftwiderstand, der ein Objekt bremst, und dem Auftrieb, der rechtwinklig zum Widerstand wirkt und nach oben gerichtet ist. Wird ein Ball mit Backspin gespielt, strömt die Luft um ihn herum

Grübchen erzeugen Luftturbulenzen am Ball und verringern so den Luftwiderstand.

wie bei einem Flugzeugflügel, der den Luftstrom nach unten lenkt und dadurch einen Auftrieb erzeugt. Aufgrund der runden Form des Balls entsteht jedoch sehr viel Luftwiderstand. Die Luft, die von vorn auf einen glatten Ball trifft, bewirkt einen Überdruck und strömt seitlich um den Ball. Sie erreicht aber die Rückseite des Balls nicht, weil sie der hinteren Krümmung nicht folgen kann, und erzeugt dadurch auf der Rückseite einen Unterdruck. Diese Situation erhöht den Luftwiderstand zusätzlich.

Die Grübchen im Ball verändern den Luftstrom um den Ball herum. Die Luft bleibt enger an der Ballkontur und erzeugt auch auf der Rückseite kaum Unterdruck, wodurch der Luftwiderstand geringer wird. Ein Ball mit Grübchen hat einen nur halb so hohen Luftwiderstand wie ein glatter Ball.

134   Welche Putterformen gibt es?

Heel-Toe-Putter

Solche Putter sind ähnlich konstruiert wie Eisen im Cavity-Back-Design. Beide Schlägertypen wurden von Karsten Solheim erfunden, einem amerikanischen Ingenieur norwegischer Abstammung, der die Firma Ping gründete. Das Gewicht ist gleichmäßig auf die Spitze und die Ferse des Putterkopfs verteilt, sodass sich die Schlagfläche nicht verdreht, wenn der Ball nicht in der Mitte getroffen wird. Egal mit welchem Teil der Schlagfläche man den Ball trifft, er rollt in die gewünschte Richtung.

Solheims Ideen landeten 1959 erstmals auf dem Zeichenbrett. Die Putter sahen so komisch aus, dass die meisten Experten und Profis darüber nur lachten. Nach längerer Überzeugungsarbeit gelang es ihm, einen der besten Spieler jener Zeit, Julius Boros, dazu zu bringen, seinen Putter zu testen, und der gewann tatsächlich 1967 die Phoenix Open mit einem Putter von Ping. Dazu sagte Boros später: „Der Putter sieht absolut verrückt aus, doch die Bälle laufen zielstrebig ins Loch."

Heute stellt Ping fast ausschließlich Heel-Toe-Putter her wie viele andere Firmen auch. Die klassische Form, z.B. der Ping Anser, ist nach wie vor sehr beliebt und wird auch von Golfprofis wie Tiger Woods, David Duval und Ernie Els bevorzugt.

Calamity Jane

Der berühmteste Blade-Putter gehörte Bobby Jones. Er hieß Calamity Jane und war ein Geschenk von Jim Maiden, dem Bruder seines Lehrers und Mentors Stewart Maiden. Mit Calamity Jane und einer von Victor East gefertigten exakten Kopie gewann Jones 13 Major-Turniere – drei mit dem Original, zehn mit der Kopie.

Mallet-Putter

Ray Floyd, Tom Watson und Nick Price haben viele ihrer großen Turniere mit Mallet-Puttern gewonnen, die besonders breit sind und einen runden Rücken haben. Die von oben sichtbare Putterfläche ist sehr groß, wodurch es möglich

Heel-Toe-, Blade- und Mallet-Putter.

ist, mehrere Linien zur korrekten Ausrichtung anzubringen. Der Ram
Zebra, der mit einer abnehmbaren Sohlenplatte ausgestattet ist, um
zusätzliche Gewichte einlegen bzw. entfernen zu können, verhalf Nick
Price zu zwei PGA-Titeln und einem Sieg bei den British Open. Diese
Mallet-Form ist besonders weit verbreitet.

Blade-Putter
Die traditionellen Blade-Putter werden heute relativ selten gespielt,
auch wenn sie besonders elegant aussehen und gut in der Hand liegen.
Moderne Putter dieses Typs sind der Yonex Super ADX Tour Forged,
bei dessen Entwicklung Phil Mickelson mitwirkte, sowie der Wilson
8802, mit dem Ben Crenshaw zwei Masters-Turniere und 19 PGA-Tur-
niere gewann. Von Wilson ist auch der 8813, der wie ein traditioneller
Blade-Putter aussieht, aber zwei zusätzliche Linien zur korrekten Ausrichtung bietet.

135 **Was ist ein „face insert", und was bedeutet „face-balanced"?** Ein „face insert" ist eine Einlage in der Schlagfläche des Putters. Solche Schläger sind seit Mitte der 1990er-Jahre auf dem Markt. Bekannte Insertputter: der Isopur 2 von Ping, der Nubbins von TaylorMade, der White Hot und Tri-Force von Odyssey sowie der Teryllium II von Scotty Cameron.

Die Einlagen sind aus Kupfer, Messing, Polyurethan und anderen synthetischen Werkstoffen oder, wie bei den Puttern von Odyssey, aus Balatakautschuk. Sie sollen das Schlaggefühl verbessern, den Klang im Treffmoment dämpfen und die Distanzkontrolle erleichtern.

„Face-balanced" bedeutet, dass die Schaftachse des Putters durch den Schwerpunkt des Putterkopfs läuft. Wenn Sie den Putter also auf einem Finger balancieren, zeigt die Schlagfläche nach oben. Dadurch wird sichergestellt, dass sich die Schlagfläche im Treffmoment nicht verdreht und der Ballkontakt besser ist.

136 **Warum haben auch Putter einen Loft?** Auch wenn viele Anfänger das nicht glauben, auch Putter haben eine schräge Schlagfläche, manchmal mit einem Loft von bis zu 4°, weil dadurch der Ball aus der Delle befördert wird, die nach dem Stillstand im Grün entsteht. Putter mit einem Loft von 3° oder 4° eignen sich für langsamere Grüns wie z.B. auf vielen europäischen Plätzen, auf denen das Gras relativ lang ist. Putter mit geringerem Loft eignen sich für die kurz geschnittenen Grüns vieler amerikanischer Plätze und der meisten Linksplätze in Europa.

Besonders eben

Der Zusatz „milled" weist bei einem Putter darauf hin, dass der Schlägerkopf aus einem massiven Metallblock gefräst wurde und die Schlagfläche extrem eben ist, d.h. eine maximale Abweichung von 0,03 mm quer über die Fläche hat. Heute werden fast alle Putter gefräst. Die übliche Technik kann jedoch dazu führen, dass die Putterfläche leicht konkav ist. Robert Bettinardi, einer der besten Putterhersteller weltweit, der sich auch die Fräsmethode für massive Putterköpfe patentieren ließ, schneidet mit einem Uhrmacherwerkzeug das typische Wabenmuster, das seine angeblich 200% ebeneren Putterflächen kennzeichnet.

137 Was ist ein Broomhandle-Putter?

Ein Broomhandle-Putter hat einen besonders langen Schaft, der bis unter das Kinn des Spielers reicht. Als Belly-Putter bezeichnet man dagegen die etwas kürzere Variante, die am Bauch des Spielers angesetzt wird. Die obere Hand hält den Putter in der gewünschten Position fest, nur die untere bewegt den Schaft in einer Pendelbewegung von hinten nach vorn.

Manche sind der Meinung, solche Putter müssten verboten werden, weil die obere Hand sich nicht bewegt und mit dem Schlag nichts zu tun hat. Auch wenn die Debatte zuweilen sehr hitzig geführt wird, haben viele Topspieler ihre Probleme inzwischen mit solchen Broomhandle-Puttern in den Griff bekommen und sind froh, dass sie verwendet werden dürfen.

Bernhard Langer bekämpft mit einem solchen Putter seine Yips, Sam Torrance, Kapitän des europäischen Ryder-Cup-Teams 2002, hat damit einige Turniere gewonnen, und auch der Schotte Colin Montgomerie ist mit einem solchen Putter sehr erfolgreich. Vijay Singh konnte in den letzten Jahren mit seinem neuen Belly-Putter sein Spiel wieder verbessern, ebenso wie die Amerikaner Rocco Mediate und Scott McCarron. Auch Mark Calcavecchia experimentiert gelegentlich mit einem Belly-Putter.

Broomhandle-Putter gelten als gut geeignet für lange Putts, können bei kürzeren Putts aber etwas hinderlich sein. Fast alle Putter dieses Typs sind Heel-Toe-Putter.

Rocco Mediate mit seinem Broomhandle-Putter beim Lesen des Grüns.

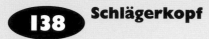 **Schlägerkopf**

Schlägerkopf

Der Schlägerkopf darf von der traditionellen Form nicht zu sehr abweichen. Er darf nicht veränderbar sein, mit Ausnahme von Gewichten, und alle Teile müssen fest fixiert sein, sodass der Schläger eine Einheit ist. Der Winkel zwischen Schaft und Sohle muss mindestens 10° betragen, und die Schlägerkopffassung darf nur so weit abgewinkelt sein, dass der Schaft maximal 20° vor bzw. hinter der Schlagfläche liegt. Mit Ausnahme des Putters darf der äußerste Teil der Schlägerferse nicht weiter als 16 mm von der Schaftachse entfernt sein, wenn die Schlagfläche square zum Ziel ausgerichtet ist. Die maximale Dicke des Schlägerkopfs beträgt 13 cm, der Abstand zwischen Ferse und Spitze des Schlägerkopfs muss größer sein als der Abstand zwischen Schlagfläche und Schlägerkopfrückseite.

Jeder Schlägerkopf muss in Größe und Form den traditionellen Vorgaben entsprechen.

Schlagfläche

Material und Konstruktion der Schlagfläche dürfen im Treffmoment nicht zu einem Federeffekt führen und dem Ball auch nicht deutlich mehr Drall geben als eine traditionelle Schlagfläche aus Stahl. Die Schlagfläche darf nicht konkav sein. Die gesamte Treffzone muss aus einem Material bestehen und darf keine Aufrauung haben – mit Ausnahme einer verzierenden Sandstrahlung oder feinen Schleifung. Für Putter gelten Ausnahmen.

Breite und Querschnitt der Rillen müssen über die gesamte Schlagfläche und Rillenlänge gleich sein. Rillen dürfen nicht breiter als 1 mm sein, der Abstand zwischen den Rillen darf nicht weniger als das Dreifache der Rillenbreite sein und muss mindestens 2 mm betragen. Rillen dürfen nicht tiefer als 0,5 mm sein. Der maximale Loft eines Putters beträgt 10°.

Schaft

Der Schaft muss an der Ferse mit dem Schläger-kopf verbunden sein, entweder über einen einfachen Hals oder eine Fassung. Er muss vom oberen Ende des Griffs bis zu einem Punkt, der maximal 13 cm oberhalb der Sohle liegt, gerade sein; und er muss sich in alle Richtungen gleichmäßig biegen, egal wie der Schaft in Längsrichtung gedreht ist.

Die Schaftachse darf um maximal 20° vor bzw. hinter dem Schläger-blatt versetzt liegen.

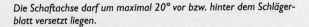

Weiter auf der nächsten Seite

Die Gesamtlänge des Schlägers vom oberen Ende des Griffs bis zur Sohle muss mindestens 46 cm betragen. Beim Putter darf der Schaft an jedem beliebigen Punkt am Schlägerkopf befestigt sein.

Griff

Der Griff muss gerade und eben sein, sich bis zum Ende des Schafts erstrecken und darf nicht für irgendeinen Teil der Hände verformt sein. Der Griff muss im Querschnitt kreisförmig sein, erlaubt ist nur eine durchgehende gerade oder nur geringfügig hervortretende Verstärkung, die sich über die gesamte Länge des Griffs erstreckt, sowie eine geringfügig gewölbte Spirale auf einem umwickelten Griff.

Der Griff darf sich verjüngen, aber an keiner Stelle eine Einwölbung oder Auswölbung aufweisen. Sein Durchmesser darf an keiner Stelle größer als 4,5 cm sein. Die Achse des Griffs muss mit der Achse des Schafts übereinstimmen.

Der Griff des Putters muss keinen kreisförmigen Querschnitt haben. Der Querschnitt darf jedoch an keiner Stelle eingewölbt sein und muss über die gesamte Grifflänge symmetrisch und von ähnlicher Gestalt sein. Die Achse des Puttergriffs muss nicht mit der Schaftachse übereinstimmen. Ein Broomhandle-Putter hat meist zwei Griffe. Diese müssen kreisförmig sein und mindestens einen Abstand von 3,5 cm haben. Ihre Achse muss der Schaftachse entsprechen.

139 **Wer oder was ist Iron Byron?** Iron Byron
ist der beste Golfer der Welt. Er verschlägt nie einen Ball,
außer man hat ihn vorher entsprechend programmiert. Byron ist ein
Roboter, und er schlägt jeden Ball mit einer Präzision, die ein menschlicher
Spieler wohl nie erreichen wird.

Der nach Byron Nelson benannte Roboter wird von Schläger- und
Ballherstellern „engagiert", um die Ausrüstung zu testen. Er besucht auch
gelegentlich die USGA in Far Hills, New Jersey, wo er prüft, ob bestimmte
Produkte den Golfregeln entsprechen. Derzeit ist die USGA aber dabei,
eigene Prüfroboter für die-
sen Zweck zu entwickeln.

Auch die großen Schlä-
gerhersteller verwenden
inzwischen ihre eigenen
Testroboter. Iron Byron
wurde Mitte der 1970er-
Jahre vom Schafthersteller
True Temper entwickelt.

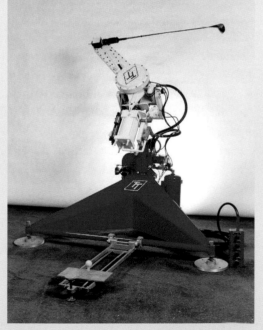

*Keiner spielt so zuverlässig wie Iron
Byron.*

140 Welchen Vorteil bringen individuell angepasste Schläger?

Hierbei werden die Schlägereigenschaften so verändert, dass sie genau zum Schwung des Spielers passen. Dieser Service wurde schon im 19. Jh. von der Firma McEwans in Edinburgh für Clubmitglieder von St Andrews angeboten, etwa durch ein kleines Bleigewicht oder leichte Veränderung des Schlägerkopfs.

Revolutioniert wurde das „custom fitting" in den 1960er-Jahren von der Firma Ping, als der Firmengründer Karsten Solheim zu Turnieren fuhr und selbst die Schläger der Profispieler anpasste. Er fragte sie zuerst nach dem Lieblingsschläger und übertrug dann dessen wichtigste Eigenschaften auch auf alle anderen Schläger, sodass sich ein gut abgestimmter Schlägersatz ergab. Ping gilt hierin auch heute noch als führend, doch viele andere Hersteller bieten diesen Service heute auch an. Ein komplettes Fitting, bei dem jedes Schlägerdetail einbezogen wird, dauert etwa eine halbe Stunde.

Zur Schlägeranpassung gehört ein statisches Fitting, bei dem der Abstand zwischen der Spitze des Mittelfingers (Arme hängen locker nach unten) und dem Boden gemessen wird, ebenso Körper- und Handgröße. Danach folgt ein dynamisches Fitting, bei dem der ideale Winkel zwischen Schlägerschaft und Boden ermittelt wird. Ein Markierungsband an der Schlägersohle zeigt an, welcher Teil der Sohle im Treffmoment Bodenkontakt hatte. Man erkennt dann genau, ob der Winkel zwischen Schaft und Sohle zu flach, zu steil oder gerade richtig ist. Ist der Winkel zu flach, ergibt sich oft ein Slice oder ein Push, ist er zu steil, führt dies meist zu einem Hook oder einem Pull. Auch das Material und die Biegsamkeit des Schafts sowie die Griffstärke des Schlägers werden untersucht.

Die Markierungen am Markierungsband, das an der Sohle angebracht wird, zeigen, welcher Teil der Sohle im Treffmoment Bodenkontakt hat.

Markierungsband

Bei der individuellen Schlägeranpassung stellt man mit dem Markierungsband den optimalen Winkel zwischen Schaft und Sohle fest. Berührt die Sohle im unteren Teil des Schwungbogens den Boden, ergibt sich eine Markierung in der Mitte des Bands. Ist die Markierung in Richtung Spitze verschoben, ist der Winkel zu steil; liegt sie eher in Richtung Ferse, ist der Winkel zu flach.

141 **Wer sind die berühmtesten Schläger-hersteller?** Einer der ersten schottischen Schlägerher-steller war James Pett in St Andrews, der 1628 vom Herzog von Montrose engagiert wurde, der wohl ein Auge auf Petts Tochter geworfen hatte. Auch Thomas und William Dickson stellten zu der Zeit schon Schläger her. Ihr Familienbetrieb in Leith florierte über hundert Jahre lang. Auch dank anderer Spezialisten wie John und David Clephane sowie Andrew Bailey war die schottische Hauptstadt Mitte des 18. Jh. ein Golfschlägerzentrum.

1770 zog auch der Schreiner James McEwan nach Edinburgh und eröff-nete seine Werkstatt für Golfschläger im Stadtteil Bruntsfield. Seine Schlä-ger waren bald für ihre besondere Qualität bekannt. Nur wenige Jahre später verwendeten auch Spieler in London seine Schläger.

Mitte des 19. Jh. konnte man mit der Herstellung von Golfschlägern in Schottland richtig viel Geld verdienen, denn der neue Guttaball löste einen Golfboom aus. Golfprofis wie Willie Dunn, Willie Park und Tom Morris besserten mit der Herstellung von Schlägern ihr Einkommen auf, und geschickte Handwerker wie Hugh Philp stiegen auch in das Geschäft ein. Philp wurde 1819 von der Society of St Andrews Golfers als Schlägerher-steller empfohlen, weil seine Schläger die höchsten Qualitätsansprüche erfüllten. Nach seinem Tod 1856 übernahm sein Neffe Robert Forgan das Geschäft und konnte es dank seiner erfolgreichen Hickoryschläger noch weiter ausbauen. 1863 wurde Forgan vom Prince of Wales zum königlichen Schlägermacher ernannt Die Firma bestand bis weit in das 20. Jh. hinein.

Zu Beginn des 20. Jh. dominierten zwei Hersteller. Ben Sayers, der zwischen 1887 und 1894 fünfmal unter den Top 5 der British Open war, eröffnete 1873 in seiner Heimatstadt North Berwick seine Firma. Der Geschäftsmann John Letters aus Glasgow gründete 1918 eine Firma am Ufer des Clyde, die sowohl den bekannten Golden-Goose-Putter als auch die Master-Model-Eisen herstellte, mit denen Fred Daly 1947 die British Open gewann. Beim Ryder Cup 1949 verwendeten acht der zehn britischen und irischen Spieler Schläger der Firma Letters.

Dann drängten große amerikanische Hersteller wie Wilson und Spalding auf den Markt, die ihre in Massenfertigung produzierten Schläger zu niedrigen Preisen verkauften. Nur wenige Spezialisten – Laurie Auchterlonie, Eddie Davis, Harry Busson – stellten weiterhin Persimmon-Hölzer her, standen jedoch bald auf verlorenem Posten. Auf der Schlägersohle sah man bald nur mehr den Namen des Spielers, der sich vertraglich verpflichtet hatte, den Schläger zu verwenden. Viele Wilson-Schläger z.B. trugen Namen wie Gene Sarazen, Sam Snead und Bernhard Langer.

1979 begann Gary Adams, der Gründer von TaylorMade, mit der Entwicklung von Hölzern mit Metallkopf. Die ersten Driver der Firma, die Pittsburgh Persimmons, waren innen hohl, wodurch die Gewichtsverteilung maximiert werden konnte. Diese Driver funktionierten ganz gut, wurden aber bald von den ersten großen Bestsellern der Firma verdrängt, dem Burner und dem Burner Plus. Nachdem er die Firma 1984 verkauft hatte, gründete Adams zwei weitere Firmen, die Golfausrüstung herstellten, nämlich Founders Club und McHenry Metals, die beide auf Metallhölzer spezialisiert waren. Der TourPure Driver von McHenry Metals war 2001 – ohne große Werbekampagne – der beliebteste Driver der Senior Tour und steckte bei über 20 Turniersiegern weltweit im Bag.

In den letzten Jahren findet man auf den Schlägerköpfen wieder den Namen des Herstellers. Zu den bekannten Entwicklern gehören heute Bob Vokey, der als Wedgespezialist für Titleist arbeitet, und Robert Mendralla, der schon seit 30 Jahren für Wilson tätig ist und im Jahr 2000 seinen eigenen Eisensatz auf den Markt brachte. Zu den bekanntesten Putterherstellern zählen Bobby Grace, Robert Bettinardi und Scotty Cameron.

142 Hatten die Schläger früher nicht ganz komische Namen?

Wie unromantisch und unsentimental wir heute doch alle sind! Anstatt nach einem „Mashie-Niblick" zu greifen, ziehen wir ein Eisen 7 aus dem Bag, und vom Fairway spielen wir kein „Brassie", sondern ein Holz 2.

Viele Schläger hatten früher eigene Namen; so nannte man im 19. Jh. ein bestimmtes Fairwayholz liebevoll „Baffing Spoon", was sich in etwa mit „Schlaglöffel" übersetzen lässt. Zu dieser „Spoon"-Serie gehörten auch noch ein langer, mittlerer und kurzer „Löffel", die etwa den heutigen Fairwayhölzern entsprachen. Beim Abschlag verwendete man damals entweder den „Play Club", die früheste Form des Drivers, oder den „Grassed Driver", der etwa so viel Loft hatte wie ein modernes Holz 3.

Ein frühes Eisen trug den Namen „Cleek", hatte eine breite Schlagfläche und so viel Loft wie ein modernes Eisen 3. Der „Niblick" war das Gegenstück des heutigen Eisen 9 bzw. Wedge und wurde verwendet, um Bälle aus Vertiefungen im Fairway herauszuschlagen – Mitte des 19. Jh. waren die Plätze in Schottland noch nicht so makellos gepflegt wie heute. Das „Rut Iron" oder „Track Iron" löste den Niblick ab, als die Eisenschläger immer beliebter wurden. Diese neuen Schläger waren schwerer, gerader und hatten eine eingewölbte Schlagfläche.

Der „Mashie" entspricht dem modernen Eisen 5 und kam gegen Ende des 19. Jh. ganz groß heraus, nachdem J.H. Taylor damit die British Open 1894 gewonnen hatte.

Es gab damals auch zusätzlich einen „Driving Putter" und einen „Approach Putter". Der „Driving Putter" war eher ein Eisen 2 mit kurzem Schaft für kurze Schläge gegen den Wind. Der „Approach Putter" wurde für Schläge auf das Grün eingesetzt, das kürzer als 90 m war, falls der direkte Weg zum Grün nicht durch ein Hindernis versperrt war.

Alte Schläger haben sonderbare Namen und sehen noch sonderbarer aus.

143 **Sind alte Schläger etwas wert?** Es ist

schon erstaunlich, wie viel Geld man für einen alten Golfschläger bekommen kann. Ein schottisches „Rake Iron" aus dem späten
17. Jh., das für Schläge aus dem Rough verwendet wurde, wurde im
Juli 1992 in Musselburgh versteigert und ging zu einem Preis von
92 400 £ an Jaime Ortiz-Patino, den Besitzer des Golfclubs in
Valderrama, in dem 1997 der Ryder Cup stattfand.

Während die British Open im Jahr 1991 gespielt wurden,
versteigerte das Londoner Auktionshaus Christie's einen
Cleek-Schläger aus dem 17. Jh. an einen Amerikanischen Bieter für 44 000 £. Ein japanischer Sammler
zahlte 32 500 £ für ein Werkzeug, mit
dem man Guttabälle herstellte und
165 000 £ für das Porträt des frü-
heren R&A-Captain John Whyte-
Melville.

Bei derselben Versteigerung
erzielte ein nie benutzter Feathery
aus den 1850er-Jahren, der von Allan
Robertson in St Andrews hergestellt
worden war, 11 000 £. Feathery-Bälle
sind heute bei Sammlern besonders beliebt
und sind bis zu 15 000 £ wert. Ein besonders
gut erhaltenes Exemplar von W. Robinson erzielte
bei einer Auktion bei Christie's im Juli 2000 sage und schreibe 28 200 £.

Christie's Rekordpreis für einen alten Schläger liegt bei 106 000 £, die
im Juli 1998 für einen seltenen „Blade Putter" aus dem späten 18. Jh.

Hässlich, aber möglicherweise sehr viel wert.

gezahlt wurden. Doch das ist noch nicht der Weltrekord, denn ein „Spur Toe"-Eisen aus dem 18. Jh. wechselte einmal für 360 000 £ den Besitzer.

Alle interessierten Sammler wird es freuen, dass man alte Schläger aber auch zu günstigeren Preisen erwerben kann. Brassies, Cleeks, Mashies und alte Putter werden im Internet schon für ca. 150 £ angeboten. Alte Gutta-bälle bekommt man für 500 bis 1000 £, je nach Zustand und Alter, während Bälle vom Anfang des 20. Jh., etwa der Dunlop 162 Recessed, schon für 200 £ zu haben sind.

144 Was ist beim Kauf eines Golfbags wichtig?

Wenn Sie auf dem Golfplatz gerne zu Fuß gehen, brauchen Sie ein leichtes Tragebag oder noch besser ein Standbag. Der integrierte Ständermechanismus ermöglicht es Ihnen, die Tasche aufrecht hinzustellen; Sie müssen sich also nicht nach einer liegenden Tasche bücken und können Ihren Rücken dadurch schonen.

Wenn Sie mit Trolley unterwegs sind oder mit einem Elektrocart, brauchen Sie eine Tasche, die speziell dafür ausgelegt ist. Solche Taschen sind in der Regel etwas größer als Standbags, oft nur unwesentlich schwerer und bieten meist etwas mehr Stauraum.

Gewicht und Preis des Bags sollten auch bedacht werden. In den USA kosten Standbags zwischen 100 und 200 $, in Großbritannien zwischen 60 und 120 £, in Deutschland zwischen 50 und 200 Euro. Das leichteste Standbag, das Sun Mountain Superlight, wiegt nur etwa 1 kg, schwerere Varianten wiegen bis zu 3,5 kg. Das hört sich nach nicht viel an, doch dazu kommt noch das Gewicht der Schläger, Bälle und Regenkleidung.

Was noch wichtig ist, ist der Stauraum, die Polsterung (gepolsterte Seitenflächen können das Tragen angenehmer machen), die gute Funktion des Standmechanismus, die Öffnungsweite (man muss die Schläger rasch verstauen und herausnehmen können), ob das Bag wasserdicht ist und wie lange es halten wird.

Ein modernes Standbag wiegt im Schnitt nur 2 kg und reicht doch für alle Schläger.

145 Worauf kommt es bei Golfschuhen an?

So wie die Schläger, haben sich auch die Schuhe in den letzten Jahren weiterentwickelt. Die unbequemen, unmodischen Schuhe von früher wurden ersetzt durch deutlich bessere Modelle.

Moderne Schuhe sehen besser aus, schützen besser und machen es dem Spieler möglich, sich voll auf seine Schläge zu konzentrieren. Verstärkte Fersen machen die Schuhe bequemer, stoßdämpfende Eigenschaften entlasten die Beine, Sohlen mit Softspikes oder Noppen machen den Stand sicherer, und wasserdichte Materialien halten die Füße trocken.

Doch all das ist hinfällig, wenn Sie sich beim Anziehen der Schuhe nicht sofort wohlfühlen. Beim Kauf sollten Sie also darauf achten, dass die Schuhe wirklich gut passen. Schauen Sie nach, ob sie wasserdicht sind, und prüfen Sie die Sohlen. Wenn Sie beim Abschlag einen sehr kräftigen Schwung haben, brauchen Sie einen absolut festen Stand, denn jeder Ausrutscher kostet Sie Weite und Genauigkeit.

Investieren Sie Ihr Geld nur in Schuhe, die bequem, stabil und wasserdicht sind, denn solche Modelle sind jeden Cent wert.

Ausgereifte, moderne Golfschuhe sind mit Softspikes oder Noppen ausgestattet.

146 Warum haben Softspikes die traditionellen Spikes verdrängt?

Ganz einfach, weil sie auf dem Platz weniger Schaden anrichten. Metallspikes dringen in den Boden ein und können hässliche Spuren hinterlassen, Softspikes dagegen nicht.

Als 1994 Softspikes auftauchten, waren die meisten Reaktionen sehr positiv, denn die Grüns und die Puttlinien blieben unbeschädigt. Schuhe mit Softspikes waren außerdem leichter und bequemer. Ein Fragezeichen war jedoch anfangs, ob der Stand damit genauso sicher sein würde.

Auf fast allen Golfplätzen sind heute nur noch Softspikes erlaubt.

Die 1993 gegründete Firma „Softspikes" brachte die ersten Kunststoffspikes unter der Bezeichnung XP auf den Markt und führte später auch die Variante DCT ein, deren Spikes flexible Dornen haben, die sich nicht in das Gras eingraben, sondern den Stand dadurch sichern, dass sie sich im Gras verhaken. Die ersten Softspikes dieser Art wurden unter dem Namen „Black Widow" verkauft. Heute gibt es davon schon die vierte Generation, und fast alle Tourprofis verwenden sie in ihren Schuhen.

Seit den späten 1990er-Jahren werden die Spikes außerdem mit Kunststoffgewinden befestigt, was das Schuhgewicht noch einmal reduzierte. DCT-Spikes werden wohl auch in Zukunft dominieren, weil sie als einziges Produkt Bequemlichkeit mit einem sicheren Stand verbinden.

147 **Was tun bei Regen?** Wasserdichte Regenkleidung ist ein Muss für jeden Spieler, doch leider ist solche Kleidung nicht gerade billig. Für Jacke und Hose guter Qualität muss man mit etwa 300 Euro rechnen, doch dann kann man sicher sein, dass die Ausrüstung auch einige Jahre hält und sie außerdem winddicht, bequem und warm ist.

Regenkleidung für Golfer ist meist mit Gore-Tex oder einem anderen wasserdichten und luftdurchlässigen Material ausgestattet – einem dünnen, semidurchlässigen Stoff, der pro cm^2 viele sehr kleine Löcher aufweist. Diese Löcher sind so klein, dass sie Regentropfen abhalten, und gleichzeitig groß genug, um Schweißmoleküle entweichen zu lassen. Günstigere Regenkleidung ist ab etwa 100 Euro zu haben, doch die ist meist nicht wirklich wasserdicht und hält nur kürzere Regenschauer ab.

Es lohnt sich auch, in Allwetterhandschuhe aus Synthetikmaterial zu investieren, denn damit hat man auch bei feuchter Witterung einen guten Griff. Nehmen Sie immer zwei bis drei Handschuhe mit auf die Runde, dann können Sie wechseln, wenn der erste Handschuh zu feucht geworden ist.

Außerdem ist es ratsam, mehr als nur ein Handtuch dabeizuhaben, denn dann muss man die Schlägergriffe nicht mit einem nassen Handtuch abwischen. Es gibt auch einige Cremes, die man in den Handflächen verteilen kann, um einen sichereren Griff zu haben (vgl. Frage 116). Außerdem gibt es Schlägergriffe, deren Material bei Feuchtigkeit nicht rutschiger, sondern noch griffsicherer wird.

Regenschirme, auch ein Muss, kosten meist zwischen 10 und 50 Euro. Alles, was hier beschrieben wurde, erhalten Sie in Ihrem Proshop.

148 **Woraus werden Golfhandschuhe gemacht?**

Hochwertige Handschuhe sind meist aus Cabretta-Leder gemacht, dem Leder einer glatthaarigen Ziegenrasse. Die beste Qualität kommt aus Südamerika und Afrika, doch auch indische und chinesische Sorten werden verwendet. In den USA bezeichnet Cabretta nur Leder aus Brasilien.

Cabretta-Leder ist sehr fein und fest und wird immer chromgegerbt. Cabretta-Handschuhe können bei feuchter Witterung reißen, doch werden sie mit Fluor und Kollagen wasserabweisend und länger haltbar gemacht. Oft haben die Handschuhe einen Lycraeinsatz, um die Passform um die Knöchel herum zu verbessern.

Ein Lycraeinsatz im Lederhandschuh verbessert die Passform.

Handschuhe aus Kängurules
leder sind etwas teurer, jedoch nicht unbedingt besser. Alternativ gibt es Allwetterhandschuhe aus Mikrofasern, die preisgünstiger sind und nicht so leicht reißen. Sie sind aber lange nicht so weich wie Lederhandschuhe.

149 Wie viele Bälle gehen im Schnitt auf einer Runde verloren?

Aus Erhebungen weiß man, dass ein Spieler im Durchschnitt 4,5 Bälle pro Runde verliert. Besonders viele verschwinden im See rund um das berühmte Inselgrün des TPC at Sawgrass. Der Taucher Norm Spahn fischt jedes Jahr um die 125 000 Bälle aus dem Wasser. Umgerechnet bedeutet das, dass täglich 342,5 Bälle dort versenkt werden. Die 16. Bahn läuft auch an diesem See entlang, doch die meisten Bälle fliegen direkt vom 17. Abschlag ins Wasser.

Im See rund um das 17. Grün des TPC at Sawgrass werden unzählige Bälle versenkt.

150 Mit welchen Hilfsmitteln kann man seinen Score verbessern?

Es gibt jede Menge Hilfsmittel, die alle „garantieren", den Score um einige Schläge zu verbessern. Die Preisspanne reicht von ein paar wenigen bis hin zu einigen tausend Euro. Der Spieler kann sich heute zu fast jedem Aspekt seines Spiels „technische Unterstützung" holen.

Oft sind es gerade die preiswerteren Produkte, die wirklich helfen, z.B. der Line-M-Up, mit dem man die korrekte Ausrichtung beim Putten üben kann. Ein „voll integriertes Golfübungssystem" für 2000 Euro mag Ihnen vielleicht eine rasche Spielverbesserung versprechen, doch höchstwahrscheinlich ist es doch nur hinausgeworfenes Geld.

Bei der PGA Merchandise Show 2002 in Orlando waren etwa 100 der 1500 Aussteller Hersteller von Trainingshilfen. Zu ihren Produkten gehörten tragbare Computer mit Software zur Ergebnisanalyse bis hin zu Lasergeräten, die die Schwungebene des Spielers anzeigen, die Schwungbahn des Schlägerkopfs und die Ausrichtung der Schlagfläche. Besonders beliebt war ein Gerät namens Kallasey's Swing Magic, ein „revolutionäres Griffdesign, das hilft, den Schläger rhythmisch und im richtigen Tempo zu schwingen, die Schulterdrehung exakt auszuführen, die Schlagfläche im Treffmoment square zu stellen und den Durchschwung korrekt zu Ende zu bringen." Keine schlechte Kombination, und das für nur 99,99 $.

Die besten Hilfsmittel für das Training sind einfache Geräte, die dem Spieler helfen, einen wiederholbaren Schwung zu erlernen. Wenn Sie Ihr Handicap unbedingt mit Hilfe von Trainingsgeräten verbessern wollen, dann wählen Sie sorgfältig aus. Stellen Sie sicher, dass das Gerät auch den Teil Ihres Spiels unterstützt, der verbesserungswürdig ist, und verwenden Sie es nur, wenn Ihr Pro Ihnen das auch empfiehlt.

151 Was sind die teuersten, in Großserie hergestellten Eisen?

Was sind die teuersten, in Großserie hergestellten Eisen? Sonderanfertigungen, z.B. aus den Schiffsschrauben der QEII hergestellte Schläger, können sehr teuer sein. Für Eisensätze, die in Großserie hergestellt werden, gibt es derzeit drei Konkurrenten um den Titel „besonders teuer": die VFT-Eisen von Callaway, die im August 2001 herauskamen und in den USA 1188 $ kosteten, in Großbritannien 1349 £, die LiquidMetal-Eisen aus einem revolutionären neuen Metall, das in der Raumfahrt verwendet wird, sowie die Eisen V-Mass 350 des japanischen Herstellers Yonex.

Die VFT-Eisen von Callaway gehören zu den teuersten Eisen der Welt.

152 Wer sind die größten Schlägerhersteller der Welt?

Der mit Abstand größte Schlägerhersteller ist die Callaway Golf Company. Der Umsatz betrug 2000 etwa 838 Mio. $, der Gewinn vor Steuern lag bei etwa 125 Mio. $. Die Firma wurde 1982 von Ely Callaway gegründet, der im Juli 2001 starb. Weltweit hat sie über 2500 Mitarbeiter. Von denen die meisten am Standort Carlsbad in Kalifornien arbeiten.

Nachdem er bereits mit anderen Firmen erfolgreich gewesen war, kauft Callaway den kleinen Schlägerhersteller Hickory Stick für 400 000 $. Daraus wurde die Callaway Golf Company, die 1990 mit der Einführung des Drivers Big Bertha ihren ersten großen Erfolg feierte. Die Firma ging im Februar 1992 an die Börse, und schon im selben Jahr wurde Big Bertha auf der Senior Tour, bei der LPGA und der Nike Tour als beliebtester Driver gewählt. 1995 folgte die Great Big Bertha, und der Firmenumsatz stieg auf 553 Mio. $. Im März 2000 kam dann der ERC auf den Markt (die Abkürzung steht für Ely Reeves Callaway), allerdings nur in manchen Ländern, da er in den USA nicht für Turniere zugelassen wurde. Ihm folgte der ebenfalls nicht regelkonforme ERC II, den Callaway auch in den USA verkaufte. Diese Entscheidung war sehr umstritten, war aber typisch für Callaway, der der Meinung war, dass für Clubspieler ein Schläger zugelassen werden sollte, „mit dem sie sich wie Profis fühlen können".

Der größte Ballhersteller ist die Firma Titleist, die über 240 Mio. Golfbälle pro Jahr produziert. Sie hat über 2000 Mitarbeiter und gehört zur Firmengruppe Fortune Brands. Am besten verkauft sich der phänomenale Pro-V1, der im Jahr 2001 sehr viel zum guten Ruf der Firma beitrug, als bei 142 Turnieren weltweit der Sieger jeweils einen Titleist-Ball spielte. Derzeit hat die Firma neun unterschiedliche Bälle im Sortiment.

153 **Welcher Schläger wurde am häufigsten verkauft?** Das lässt sich nicht mit Sicherheit sagen, doch es dürfte wohl entweder der Anser-Putter von Ping sein oder der Driver Great Big Bertha von Callaway.

Der 1966 patentierte Anser kam bei über 500 Turniersiegen weltweit zum Einsatz (darunter 46 Siege von Seve Ballesteros, 25 von Fred Couples und 13 von Beth Daniel) und ist auch heute noch der erfolgreichste Schläger von Ping. Die Firma veröffentlicht keine genauen Verkaufszahlen, doch ihr Director of Communcations, Bob Kenton, ist sich sicher, dass „das wohl der am häufigsten verkaufte Schläger aller Zeiten" ist.

Die Great Big Bertha von Callaway kam 1995 auf den Markt und wurde über 3 Millionen Mal verkauft. Bis Ende 2001 war der Schläger an 249 Turniersiegen bei fünf Profiturnierserien beteiligt. Der Driver wird seit 1998 nicht mehr hergestellt, ist jedoch auch als Secondhandschläger noch immer sehr beliebt.

154 Wie kleidet man sich auf dem Golfplatz?

Private Golfclubs weltweit haben einen sehr strengen Dresscode, und meist wird nur die Kombination Poloshirt und lange Hose akzeptiert. T-Shirts mit rundem Ausschnitt, Jeans und kurze Hosen werden oft nicht toleriert. Außerdem sind nur Golfschuhe auf dem Platz zulässig, mit anderen Sportschuhen hat man keine Chance.

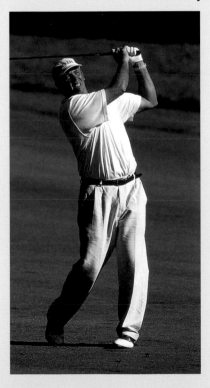

In manchem Clubhaus werden Jackett und Krawatte erwartet, vor allem im Restaurant, doch nur in den besonders traditionellen Clubs erwartet man diese Kleidung sogar mittags an heißen Sommertagen in der Bar. Normalerweise kann man sich mit der Kleidung in die Bar setzen, die man auch auf dem Platz trägt, allerdings sollte man die Golfschuhe gegen Straßenschuhe eintauschen.

In öffentlichen Clubs kommt es eher darauf an, einen möglichst hohen Gewinn zu erzielen, sodass man in der Wahl der Kleidung ziemlich frei ist, solange man die Greenfee bezahlt hat.

Mit Poloshirt und langer Hose ist man auf dem Platz immer gut angezogen.

155 Wie hat sich die Golfmode im Lauf der Zeit verändert?

In der 600-jährigen Geschichte des Golfsports hat sich die Golfkleidung enorm gewandelt. Sie ist heute weniger formell und viel praktischer als früher und erlaubt es dem Spieler, den Schläger ohne Einschränkungen zu schwingen.

Im 16., 17. und 18. Jh. waren die Spieler durch alle möglichen Kleidungsstücke in ihrer Bewegung eingeschränkt. Damals spielte man mit dem sehr teuren Feathery-Ball, den sich der einfache Arbeiter nicht leisten konnte. Golf war ein Zeitvertreib der Reichen, und das bedeutete Zylinderhüte aus Seide, Jacken, die wie ein Frack aussahen, sowie enge, maßgeschneiderte Hosen. Bei wichtigen Turnieren kleidete man sich besonders auffällig – rote Jacken, weiße Seidenhosen, riesige schwarze Zylinder.

Mitte des 18. Jh. kam der Guttaball auf und machte das Spiel auch für andere soziale Klassen erschwinglich. Man trug auf dem Platz nun auch einen einfachen Anzug, dazu einen Bowlerhut oder, besonders in Schottland, eine Kappe aus Wollstoff. Spieler aus der Arbeiterklasse trugen ihre ganz normalen Alltags-

Wer hat die Hosen an?

Die erste Frau, die auf dem Golfplatz eine Hose trug, war wohl Gloria Minoprio, die bei der English Women's Championship 1933 für einen Skandal sorgte, als sie mit einem blauen Barett, einem gelben Rollkragenpullover, weißen Handschuhen und einer langen Hose am ersten Abschlag erschien. Der britische Golfverband beklagte die Abkehr von der Tradition, und die Klatschzeitungen hatten ein ideales Thema gefunden.

Minoprio war keine gute Spielerin – sie kam fünf Jahre lang nicht über die erste Runde hinaus –, doch das lag wohl eher an ihrer Ausrüstung. Sie spielte nämlich nur mit einem einzigen Schläger, einem flachen Eisen. Doch weil sie so unkonventionell gekleidet war, war Minoprio immer die umstrittenste und aufregendste Spielerin bei den Turnieren. Was die Leute über sie sagten, war ihr egal: „Ich tue das, was ich will, solange ich damit niemanden verletze. Ob das gegen altmodische Ansichten geht, ist mir egal." Schon 1940 waren lange Hosen auch für Damen der letzte Schrei.

schuhe, die für das Golfspiel sehr gut geeignet waren, denn sie hatten meist Schuhnägel an den Sohlen, was einen sehr guten Stand garantierte.

Allmählich wurde die Golfkleidung immer mehr standardisiert, und zu Beginn des 20. Jh. trugen alle Spieler Hose, Jackett, Hemd und Krawatte. Harry Vardon gewann die British Open sechsmal in einem hochgeknöpften Jackett, das ihn seiner Aussage nach beim Schwung unterstützte, und den obligatorischen Knickerbockern. Das Jackett legte man Ende der 1920er-Jahre ab, doch die Krawatte blieb bis kurz vor dem Zweiten Weltkrieg. Danach setzten sich bis heute Polohemden und Baumwollhosen durch.

Auch die Damenmode hat sich enorm verändert. Als sich in den 1870er-Jahren erstmals auch Frauen im Golfsport engagierten, trugen sie meist ein langes Kleid, dazu oft einen mit Blumen geschmückten Hut sowie Schnürstiefel. Da es als unschicklich galt, den Schläger über Schulterhöhe hinauszuschwingen, bestand das Damenspiel meist aus Putten. Bei Windböen konnte der Saum nach oben flattern und den Blick auf die Beine freigeben, was ebenfalls nicht schicklich war; man fixierte deshalb den Stoff unten an den Knöcheln mit einem zusätzlichen Band.

Gegen Ende des 19. Jh. trug man Kleider, deren Saum schon oberhalb des Knöchels lag. Bald führten auch die Ladys einen vollen Schwung aus, sodass das Golfkleid durch Rock mit Bluse und Jacke ersetzt wurde und auch die Hüte schlichter wurden. Anfangs trugen die Damen noch Strohhüte und Tweedkappen, in den 1930er-Jahren setzte sich aber das Barett durch.

Seit dem Zweiten Weltkrieg orientiert sich die Frauenmode im Golf weitgehend an der Kleidung der Männer. Heute sind Poloshirt und Hose üblich, doch seit Neuestem trägt man auch wieder Röcke auf dem Platz, allerdings deutlich kürzere als früher.